TEMPERAMENTOS TRANSFORMADOS

TIM LAHAYE

TEMPERAMENTOS TRANSFORMADOS

COMO DEUS PODE TRANSFORMAR OS DEFEITOS DO SEU TEMPERAMENTO

2ª edição revisada

Traduzido por ELIZABETH STOWELL CHARLES GOMES

Publicado originalmente por Tyndale House Publishers, Weaton, Illinois, EUA.

Os textos das referências bíblicas foram extraídos da *Nova Versão Internacional* (NVI), da Sociedade Bíblica Internacional, salvo indicação específica.

Dados Internacionais de Catalogação na Publicação (CIP)
(Câmara Brasileira do Livro, SP, Brasil)

LaHaye, Tim F.

Temperamentos transformados / Tim LaHaye ; [traduzido por Elizabeth Stowell Charles Gomes]. — 2. ed. — São Paulo : Mundo Cristão, 2008.

Título original: Transformed Temperaments
ISBN 978-85-7325-534-8

1. Temperamento — Aspectos religiosos — Cristianismo 2. Vida cristã I. Título.

08-02437 CDD-248.4019

Índice para catálogo sistemático:
1. Temperamento : Vida cristã : Prática religiosa : Aspectos psicológicos 248.4019
Categoria: Relacionamentos

Publicado no Brasil com todos os direitos reservados pela:
Editora Mundo Cristão
Rua Antônio Carlos Tacconi, 69, São Paulo, SP, Brasil, CEP 04810-020
Telefone: (11) 2127-4147
www.mundocristao.com.br

2ª edição revisada: setembro de 2008
43ª reimpressão: 2025

Sumário

Prefácio

A repercussão de meu primeiro livro sobre este assunto, *Temperamento controlado pelo Espírito*[1], muito me inspirou e surpreendeu. A primeira edição de mil exemplares, em brochura, era mais do que nossa igreja poderia utilizar, mas a Cruzada Estudantil começou a vendê-la por meio de sua livraria em San Bernardino (Califórnia) e logo se tornaram necessárias mais duas impressões. O gerente de vendas da editora Tyndale leu o livro na época em que eu já começara a orar para que Deus mandasse uma editora em nosso auxílio — meus filhos estavam ficando cansados de colar, encadernar e empacotar os livros do pai, na garagem!

Eu estava no aeroporto de San Diego com minha esposa e de lá voaria para a cidade de Chicago, onde faria uma palestra. Comentei com ela: "Espero que o Senhor nos revele sua vontade quanto ao futuro do livro *Temperamento controlado pelo Espírito*". Naquela noite, conheci Bob Hawkins, da editora Tyndale. Depois da palestra, ele me convidou para jantar e manifestou sua vontade de que o livro fosse publicado em escala nacional. Aliviado, só pude concordar — se não pelo público leitor, ao menos por minha família, àquela altura já esgotada de tanto trabalho.

[1] São Paulo: Loyola, 1995.

Desde então, temos nos maravilhado com a maneira como Deus tem usado esse livro. Chegam cartas das mais diversas partes do mundo — de missionários, pastores, conselheiros e leigos — e diversos leitores confessaram ter encontrado a Cristo como Salvador por intermédio dessa leitura. Até a presente data, o *Temperamento controlado pelo Espírito* já foi traduzido para o espanhol, japonês, russo e português. Três sociedades missionárias fizeram uso do livro para treinar seus candidatos ao trabalho missionário. Muitas igrejas o têm utilizado em grupos de estudo, classes de escola dominical e reuniões de mocidade. No momento em que estou escrevendo, milhares de exemplares já foram publicados. Não seria necessário dizer que isso muito nos encorajou. Não sou autor do conceito dos quatro temperamentos. Minha contribuição foi apenas fazer aplicações práticas dessas classificações seculares para que cada indivíduo possa examinar a si mesmo, analisando seus pontos fortes e suas fraquezas, e assim buscar a cura do Espírito Santo para aquelas tendências que o impedem de ser usado por Deus.

Temperamentos transformados é o resultado de pesquisas adicionais sobre o assunto, como também de nossos trabalhos de aconselhamento a pessoas em dificuldades. Foi inspirado pela descoberta de uma transformação de temperamento na vida de diversos personagens bíblicos; transformação que hoje encontramos em cristãos cheios do Espírito Santo. Deve-se lembrar que essa mudança não depende do conhecimento dos quatro temperamentos, mas da plenitude do Espírito. As personalidades bíblicas que conheceremos foram transformadas antes da formulação da teoria dos temperamentos. Nossa esperança está na promessa de Deus: "Portanto, se alguém está em Cristo, é nova criação. As coisas antigas já passaram; eis que surgiram coisas novas!" (2Co 5:17).

1

A teoria dos quatro temperamentos

Hipócrates (460 a 370 a.C.) é frequentemente chamado de "Pai da medicina". Sem dúvida, ele foi o gigante do mundo médico da antiga Grécia, e nos interessa por duas razões: 1) Geralmente lhe atribuem o fato de a medicina se preocupar com os problemas psiquiátricos; 2) Reconheceu as diferenças de temperamento entre as pessoas e apresentou uma teoria que as explica. Earl Baughman e George Welsh avaliaram da seguinte forma sua contribuição:

> No mundo antigo sabia-se das grandes anomalias de comportamento, mas geralmente eram atribuídas à intervenção dos deuses e, assim, não podiam ser estudadas com objetividade. Hipócrates, porém, se opunha ao sobrenaturalismo, defendendo a ideia de uma orientação biológica, sobre a qual desenvolveu uma abordagem empírica à psicopatologia. Sua maior força estava talvez na exatidão de suas observações e na capacidade de registrar cientificamente as conclusões a que chegava.
>
> Na verdade, muitas de suas descrições de fenômenos psicopatológicos permanecem válidas. Portanto, Hipócrates marcou o início de uma abordagem cuidadosa e observadora da personalidade anormal, que um dia seria aplicada ao estudo da personalidade normal.

> O interesse de Hipócrates pelas características do temperamento é notável, especialmente quando consideramos a relativa negligência desse importante problema no mundo moderno da psicologia. Como resultado de suas observações, Hipócrates distinguiu os quatro temperamentos: o sanguíneo, o melancólico, o colérico e o fleumático. De acordo com ele, o temperamento dependia dos "humores" do corpo: sangue, bílis preta, bílis amarela e fleuma. Assim, começou por observar as diferenças de comportamento, formulando uma teoria para elas. A teoria era bioquímica em sua essência, e embora sua substância tenha desaparecido, permanece ainda conosco sua forma. Hoje, porém, falamos de hormônios e outras substâncias bioquímicas em vez de "humores", substâncias que podem induzir ou afetar o comportamento observado.[1]

Os romanos pouco fizeram na área do intelectualismo criativo, contentando-se em perpetuar os conceitos dos gregos. Um século e meio após o imperador romano Constantino tornar o cristianismo religião oficial em 312 d.C., esse império desmoronou, dando início à Idade das Trevas. Consequentemente, poucas alternativas ao conceito de Hipócrates foram oferecidas até o século XIX. Foram poucos os estudos feitos na área da personalidade, a ponto de H. J. Eysenck[2] atribuir a ideia do conceito de quatro temperamentos a Galen, que o reativou no século XVII, e não a Hipócrates.

O filósofo alemão Emmanuel Kant foi provavelmente o que mais influência teve na divulgação da teoria na Europa. Embora

[1] Earl BAUGHMAN e George Schlager WELSH, *Personality: A Behavioral Science,* New York: Prentice Hall, 1962, p. 57.

[2] *Fact and Fiction in Psychology,* Baltimore: Penguin Books, 1965, p. 55. Citado com permissão.

incompleta, sua descrição dos quatro temperamentos, em 1798, foi bem interessante:

> A pessoa sanguínea é alegre e esperançosa; atribui grande importância àquilo que está fazendo no momento, mas logo em seguida pode esquecê-lo. Ela tem intenção de cumprir suas promessas, mas não as cumpre por nunca tê-las levado suficientemente a sério, a ponto de pretender vir a ser um auxílio para os outros. O sanguíneo é um mau devedor e pede constantemente mais prazo para pagar. É muito sociável, brincalhão, contenta-se facilmente, não leva as coisas muito a sério e vive rodeado de amigos. Embora não seja propriamente mau, tem dificuldade em não cometer seus pecados; ele pode se arrepender, mas sua contrição (que jamais chega a ser um sentimento de culpa) é logo esquecida. Ele se cansa e se entedia facilmente com o trabalho, mas constantemente encontra entretenimento em coisas de somenos — o sanguíneo carrega consigo a instabilidade, e seu forte não é a persistência.
>
> As pessoas com tendência à melancolia atribuem grande importância a tudo o que lhes concerne. Descobrem em tudo uma razão para a ansiedade e em qualquer situação notam de imediato as dificuldades. Nisso são inteiramente o oposto do sanguíneo.
>
> Não fazem promessas com facilidade, porque insistem em cumprir a palavra e pesa-lhes considerar se será ou não possível cumpri-la. Agem assim, não devido a considerações de ordem moral, mas ao fato de que o inter-relacionamento com os outros preocupa sobremaneira o melancólico, tornando-o cauteloso e desconfiado. É por essa razão que a felicidade lhes foge.
>
> Dizem do colérico que tem a cabeça quente, fica agitado com facilidade, mas se acalma logo que o adversário se dá

por vencido. Que se aborrece, mas seu ódio não é eterno. Sua reação é rápida, mas não persistente. Mantém-se sempre ocupado, embora o faça a contragosto, justamente porque não é perseverante; prefere dar ordens, mas aborrece-o ter de cumpri-las. Gosta de ter seu trabalho reconhecido e adora ser louvado publicamente. Dá valor às aparências, à pompa e à formalidade; é orgulhoso e cheio de amor-próprio. É avarento, polido e cerimonioso; o maior golpe que pode sofrer é a desobediência. Enfim, o temperamento colérico é o mais infeliz por ser o que mais provavelmente atrairá oposição.

Fleuma significa falta de emoção e não preguiça; implica uma tendência a não se emocionar com facilidade nem se mover com rapidez, e sim com moderação e persistência. A pessoa fleumática se aquece vagarosamente, mas retém por mais tempo o calor humano. Age por princípio, não por instinto; seu temperamento feliz pode suprir o que lhe falta em sagacidade e sabedoria. Ela é criteriosa no trato com os outros e em geral consegue o que quer, persistindo em seus objetivos, embora pareça ceder à vontade alheia.[3]

No fim do século XIX, o estudo do comportamento humano recebeu novo impulso com o nascimento da ciência denominada psicologia. "Os meios acadêmicos consideram a fundação do Laboratório de Psicologia Experimental de Wundt da Universidade de Leipzig, em 1879, o início efetivo dessa disciplina."[4] O dr. W. Wundt muito provavelmente foi influenciado por Kant, pois também aceitava a Teoria dos Quatro Temperamentos do

[3] Idem, p. 56-57.
[4] Bernard Notcutt, *Psychology of Personality,* New York: Philosophical Library, 1953, p. 7.

comportamento humano. Ele fez exaustivas experiências, tentando relacionar esses temperamentos à estrutura do corpo, o que o levou ao estabelecimento da psicologia biotipológica, ou seja, a atribuição das características da conduta do indivíduo a seu tipo físico. Esse conceito, que encontra muitos seguidores, reduziu os tipos de personalidade a três. Alguns estudiosos mais recentes dessa escola diminuíram para apenas dois, em uma classificação mais popularmente conhecida como introvertido e extrovertido.

Sigmund Freud desferiu um golpe devastador na Teoria dos Quatro Temperamentos no início do século passado. As pesquisas e teorias psicanalíticas tiveram efeito eletrizante sobre o estudo da personalidade. "Por meio da implementação de um ponto de vista totalmente determinista", Freud e seus discípulos refletiram sua obsessão pela ideia de que o meio ambiente determina o comportamento do indivíduo.

Essa ideia, que é o extremo oposto da teologia cristã, minou seriamente a sociedade ocidental. Em vez de fazer o indivíduo sentir-se responsável por sua conduta, fornece-lhe uma válvula de escape que o isenta de seu mau comportamento. Se ele rouba, os comportamentistas tendem a culpar a sociedade, porque lhe faltam as coisas de que necessita. Se é pobre, culpam a sociedade por não lhe dar uma ocupação. Esse conceito não só enfraqueceu o senso natural de responsabilidade do homem como também pôs em descrédito a salutar teoria dos quatro temperamentos. Entretanto, se pudermos provar que o homem herda, ao nascer, certas tendências de temperamento, a teoria do meio ambiente se desmoronará.

Durante a primeira metade do século XX, a maioria dos cristãos parecia sofrer de um complexo de inferioridade intelectual. A comunidade erudita declarava alto e bom som a teoria da evolução como um fato. A psiquiatria e a psicologia subiram ao trono acadêmico, diante do qual todos os intelectuais se curvaram. Alguns, alegando falar em nome da ciência, ridicularizavam a Bíblia, a divindade de Cristo, o pecado, a culpa e a existência de um Deus pessoal. Muitos cristãos procuraram adaptar os conceitos bíblicos aos conceitos evolucionistas da ciência moderna. Essa atitude acomodatícia ajudou a produzir o liberalismo teológico, o modernismo, a neo-ortodoxia e uma igreja claudicante. Muitos cristãos permaneceram fiéis a Deus e à Bíblia durante esses anos difíceis, mas se mantiveram inexplicavelmente silenciosos. Uns poucos valentes estavam preparados e dispostos a enfrentar os eruditos em debates abertos.

Hoje, vê-se uma mudança. A Teoria da Evolução — pedra fundamental da psiquiatria e da psicologia — se desmancha com o impacto das minuciosas e constantes pesquisas científicas. Muitos psiquiatras e psicólogos decepcionaram-se com a psicologia freudiana e o comportamentismo. Um século de observações confirma a perícia dos freudianos em diagnosticar os problemas da personalidade, mas levanta sérias dúvidas quanto a sua habilidade em curar os enfermos. Uma nova geração de psiquiatras está voltando a atenção para algumas das antigas ideias e pesquisando outras teorias.

Alguns estão até mesmo enfatizando a responsabilidade do homem por seus atos, como a Bíblia nos ensina.[5]

Durante a primeira metade do século XX, apenas dois escritores cristãos parecem ter escrito a respeito dos quatro temperamentos. Ambos eram europeus, mas suas obras foram amplamente divulgadas nos Estados Unidos.

[5] William GLASSER, *Reality Therapy*, New York: Harper and Row, 1956.

Um grande pregador e teólogo inglês, Alexander Whyte (1836-1921), realizou um breve trabalho sobre os quatro temperamentos, incluído em seu *The Treasury of Alexander Whyte* [Tesouro de Alexander Whyte].[6] Depois de ler seu excelente livro *Bible Characters* [Personagens bíblicos], ninguém poderá duvidar de que ele foi um estudioso do tema.

Entretanto, com respeito à Teoria dos Quatro Temperamentos, a obra mais significativa de que tenho conhecimento é o *Temperament and the Christian Faith* [O temperamento e a fé cristã], de O. Hallesby.[7] O propósito do dr. Hallesby foi ajudar os conselheiros a reconhecer os quatro temperamentos por meio de descrições detalhadas de suas características, a relacioná-los entre si e resolver os problemas típicos de cada um deles.

Meu livro *Temperamento controlado pelo Espírito* foi inspirado na leitura dessa obra. Como pastor-conselheiro, recebi muita orientação dos proveitosos estudos do dr. Hallesby, mas fiquei de certa forma angustiado pela condição desesperadora em que ele "deixava" a pessoa de temperamento melancólico. Pensei então: "Se eu fosse do tipo melancólico, depois desta leitura, me suicidaria". Mas eu sabia que há muita esperança para o melancólico — como para qualquer dos outros temperamentos — no poder de Cristo Jesus. Foi então que Deus abriu meus olhos para o ministério do Espírito Santo na vida emotiva do crente. Comecei a desenvolver o conceito de que há uma força divina para cada fraqueza humana por meio da plenitude do Espírito. Depois de conversar a respeito dessa ideia com centenas de pessoas e de aconselhar muitas outras, estou mais do

[6] Publicado por Baker.

[7] Publicado primeiramente em norueguês. Traduzido para o inglês e publicado pela Augsburg Publishing House em 1962.

que convencido de que as nove características da vida plena do Espírito Santo, mencionadas em Gálatas 5:22-23, contêm uma força para cada uma das fraquezas dos quatro temperamentos: "Mas o fruto do Espírito é amor, alegria, paz, paciência, amabilidade, bondade, fidelidade, mansidão e domínio próprio. Contra essas coisas não há lei".

2

A contaminação pelo freudianismo

Tem sido fascinante ver a reação dos leitores ao livro *Temperamento controlado pelo Espírito.* Todo ser humano tem grande interesse em saber "o que realmente o faz funcionar", razão pela qual a psicologia é matéria preferida por grande parte dos estudantes universitários. A explicação da Teoria dos Quatro Temperamentos sobre as motivações do comportamento humano faz sentido para muitas pessoas. Donas de casa, estudantes, universitários, pastores, profissionais liberais e pessoas de todo tipo de vida facilmente se enquadram em um dos tipos.

Soubemos que pessoas que trabalham em aconselhamento, pastores e psicólogos recomendaram o livro a seus clientes. Um psicólogo cristão, conhecido em todo o país, recomendou-o em todos os lugares dos Estados Unidos. Diversos professores de psicologia em faculdades cristãs têm usado esse livro em seus cursos, e tenho sido convidado para falar sobre o assunto.

A reação dos psicólogos e psiquiatras não cristãos tem sido menos entusiasta, mas já se esperava essa atitude. Em primeiro lugar, porque a Teoria dos Quatro Temperamentos não é compatível com as ideias humanistas em voga; em segundo, porque os psiquiatras, não crendo em Deus, rejeitam, em princípio, o poder do Espírito Santo na cura das fraquezas humanas. Tal linha de pensamento influencia fortemente a reação à ideia dos quatro temperamentos. Fiz uma série de palestras para cerca de mil universitários norte-americanos, reunidos em um seminário de duas semanas. A primeira sessão foi uma explanação geral da Teoria dos Quatro Temperamentos. Logo que acabei de falar, diversos jovens esperavam por mim, armados de muitas perguntas. Quase todos eram estudantes de psicologia. Suas principais objeções resumiam-se em: "O senhor simplifica demais as coisas" ou "Suas respostas são muito simplistas".

A resistência deles era compreensível. Estavam muito envolvidos no processo de aprendizagem das complexas soluções para os problemas atuais da forma como nossos educadores os veem — não porque as respostas aos problemas do homem sejam tão intricadas, mas porque os formuladores dos currículos universitários têm rejeitado a Bíblia e a simples cura de Deus para os problemas do homem. Consequentemente, restam-lhes soluções muito envolventes. O triste é que, como o tempo não parece tornar válidas aquelas soluções, a frustração os leva à busca de outra resposta qualquer, contanto que seja mais complicada.

Chegou a hora de alguém mostrar que a psicologia e a psiquiatria estão construídas principalmente sobre o humanismo ateísta. Darwin e Freud moldaram o pensamento do mundo secular a ponto de fundamentar sua estrutura mental sobre duas premissas: 1) Não há Deus — o homem é um mero acidente biológico; 2) O homem é o ser supremo, com capacidade para resolver por si mesmo todos os seus problemas. Em estudos de filosofia aprendi que "a validez de uma conclusão depende da exatidão de suas premissas". Como existe realmente um Deus, a premissa principal dos humanistas está errada; portanto, não se pode esperar que suas conclusões sejam válidas.

Uma grande parte do mundo atual se curva perante o santuário da psicologia e da psiquiatria. Considerando que o homem precisa ter alguma fonte de autoridade que empreste crédito àquilo que ele diz, os secularistas de hoje citam em geral algum eminente psicólogo. O fato de que essas autoridades muitas vezes se contradizem, geralmente não é mencionado.

Não me levem a mal. Não estou procurando ridicularizar os eruditos. Apenas chamo a atenção para o perigo de os cristãos serem enganados pela "sabedoria deste mundo". Temos de reconhecer que "a mensagem da cruz é loucura para os que estão perecendo, mas para nós, que estamos sendo salvos, é o poder de Deus" (1Co 1:18). O fato de as pessoas possuírem diplomas não significa que estejam certas. Um rápido exame pelos grandes filósofos do mundo mostraria que cada um desses brilhantes eruditos sempre discordou dos outros famosos filósofos que os antecederam. O estudo da filosofia é em geral muito confuso justamente por ser muito contraditório. As experiências e novas descobertas sempre desacreditaram os grandes pensadores do passado. Em contrapartida, os cristãos têm a segurança de aferir a exatidão das premissas e das conclusões dos homens: a Palavra de Deus! O homem está certo ou está errado, conforme concorde ou discorde da Bíblia!

Uma estudante do último ano de psicologia procurou-me logo depois de ouvir uma das palestras que proferi em um seminário e disse-me: "Tenho de confessar que senti uma resistência tremenda a suas opiniões depois da primeira palestra. O senhor contradisse muitas coisas que eu aprendi, mas, ao escutá-lo, reconheci que a Bíblia realmente tem as respostas para os problemas do homem. Muito obrigada. O senhor foi uma bênção para minha vida". Espero que essa jovem e muitos outros tenham aprendido que não há nada de errado em estudar e usar os princípios válidos da psicologia, da psiquiatria ou de qualquer outra ciência, desde que os tornemos válidos pela Palavra de Deus.

Quando falei em uma conferência de casais no lindo Forest Home, nas montanhas de San Bernardino, na Califórnia, havia um psicólogo assistindo àquela série de sete palestras. Eu estava muito curioso para saber sua reação, já que sua expressão fisionômica nada demonstrava. Durante a última refeição, tivemos oportunidade de conversar. Ele me disse que trabalhava em aconselhamento havia 25 anos. Alguns meses antes, aceitara a Cristo como seu Salvador e Senhor. Aos poucos, ele se decepcionara com suas técnicas e os conselhos que dera durante tantos anos. Viera à conferência para ver se alguém poderia oferecer-lhe novas e melhores ideias. Concluiu então: “Estou voltando para casa com duas impressões bem claras: primeiro, é que a Bíblia tem as respostas para todos os problemas do homem; segundo, é que elas são, na verdade, bem simples”.

Os quatro temperamentos parecem ser aceitos pelos cristãos porque são compatíveis com muitos conceitos das Escrituras. Da mesma forma que a Bíblia ensina que todos os homens têm uma natureza pecaminosa, os temperamentos indicam que todos têm suas fraquezas. A Bíblia nos ensina que o homem é constantemente assediado pelo pecado, e os temperamentos destacam esse fato. A Bíblia diz que o homem possui uma “velha natureza”, que é a carne, melhor dizendo, “carne-corruptível”. O temperamento é composto de tendências natas, parte das quais são fraquezas. A classificação dos quatro temperamentos não é ensinada categoricamente na Bíblia, mas os estudos biográficos de quatro personagens bíblicos demonstrarão os pontos fortes e as fraquezas de cada um dos temperamentos. A Bíblia mostra que só é possível alcançar o poder para vencer os defeitos quando se recebe a Jesus Cristo pessoalmente como Senhor e Salvador, entregando-se por completo a seu Espírito.

Um psicólogo, meu amigo, informou-me que há cerca de doze ou treze diferentes teorias da personalidade. A Teoria dos Quatro Temperamentos é provavelmente a mais antiga, e muitos cristãos consideram-na a melhor. Não é perfeita, assim como nenhum conceito humano. Porém, ajuda a pessoa comum a examinar-se por meio de um processo sistematizado e melhorado durante os séculos. A teoria não responderá a todas as dúvidas que você tenha sobre si mesmo, mas propiciará mais respostas do que as outras teorias. Ao estudá-la, ore agradecendo a Deus pelo acesso a uma fonte de poder capaz de mudar sua vida, transformando-a no que você e Deus querem que ela seja.

3

Uso e abuso da ferramenta

A Teoria dos Quatro Temperamentos é um instrumento valioso para a autocompreensão. Mas, como qualquer ferramenta, pode ser usada incorretamente. De vez em quando, encontro pessoas que fizeram mau uso desse conceito, prejudicando a si e a outros. Em geral, esse abuso ocorre nas formas apresentadas a seguir:

Alguns estudiosos da personalidade têm externado vez ou outra o conceito, aplicando-o indiscriminadamente. Não se contentando em apenas examinar e guardar para si as conclusões, eles fornecem aos indivíduos, sem cuidado algum, informações sobre seus temperamentos, delineando-lhes suas fraquezas características. Já vi pessoas humilharem familiares e companheiros de trabalho por apontar-lhes os traços desfavoráveis do temperamento e expor-lhes os defeitos. Nas palavras do psicólogo dr. Henry Brandt: "Não há nudez que se compare à nudez psicológica".

A natureza humana nos induz à autoproteção, não apenas física, mas também psicológica. O indivíduo que, de propósito, se expõe ao ridículo, revela um senso deturpado de autopreservação emocional. Chego a pensar que tais pessoas expõem seus defeitos insignificantes usando-os como escudo para esconder os defeitos maiores.

Nenhum cristão cheio do Espírito Santo invadiria o íntimo de outra pessoa, expondo-a ao ridículo psicológico. Poderá ser muito engraçado fazer isso para criar um clima de bom humor em uma reunião, mas, por outro lado, poderá ser cruel e prejudicial para o atingido. Qualquer coisa que não seja benigna não provém do amor, e a Bíblia nos ensina a "falar a verdade em amor" (Ef 4:15). O Espírito Santo, que nos habita, quer que os cristãos "amem os irmãos", dando-lhes a proteção emocional que almejamos também para nós.

Mesmo no caso de a análise de temperamento não ser feita em público, ela poderá tornar-se um hábito nocivo. Uma jovem confidenciou-me que rejeitara um possível pretendente porque o considerava uma mistura indesejável de temperamentos. Não existe a tal mistura indesejável! Nenhum é "melhor" que outro, e o simples temperamento não é a garantia de determinadas atitudes. Um patrão, por exemplo, poderia rejeitar um empregado capaz, concluindo equivocadamente que sua personalidade o torna inapto para o cargo. Nesse caso, nem a jovem casadoura, nem o empregador deram oportunidade à influência transformadora do Espírito Santo.

A Teoria dos Quatro Temperamentos é apenas uma ferramenta terapêutica. Com os outros ou consigo mesmo, deve ser usada sempre com parcimônia, flexibilidade e de forma construtiva. Uma boa regra é: não se ponha a analisar o temperamento de uma pessoa, a não ser que isso contribua para melhorar seu relacionamento com ela, e não diga a uma pessoa qual o temperamento que ela possui, a não ser que esta lhe pergunte diretamente.

Outro erro no uso da teoria dos temperamentos é utilizá-la como desculpa por seu mau comportamento. Frequentemente as pessoas me dizem: "Faço isso porque é esse meu gênio e não consigo mudá-lo". Esse engano, esteja certo, foi inspirado pelo diabo. Além disso, demonstra incredulidade em Deus! Ou o texto de Filipenses 4:13 é verdade ou não é: "Tudo posso naquele que me fortalece". Se for mentira, não poderemos confiar na Palavra de Deus. Mas, como a Bíblia é verdadeira, podemos confiar que Deus realmente supre todas as nossas necessidades. O temperamento pode tão somente explicar nosso comportamento, mas justificá-lo, nunca! É impressionante o número de pessoas que o usam como desculpa. Note alguns comentários feitos na sala de aconselhamento:

Um homem sanguíneo, depois de manter um caso amoroso extraconjugal, confessou: "Sei que eu não deveria ter feito isso, mas tenho o temperamento sanguíneo e sou fraco quando exposto a tentações sexuais". Isso é uma maneira covarde de dizer: "A culpa é de Deus, pois foi ele que me criou assim!".

Depois que disseram a um colérico que seus acessos de raiva destruíram sua enorme capacidade como professor de classe bíblica e obreiro cristão, ele declarou: "Sou mesmo estourado. Sempre fui. Quando as pessoas me contrariam, falo o que me vem à cabeça!". É um comentário tipicamente colérico, mas não é a resposta de um colérico controlado pelo Espírito Santo.

Uma senhora de temperamento melancólico veio a minha clínica de aconselhamento depois que seu marido a abandonou com três crianças. Ele a abandonou não porque tivesse outra mulher em sua vida — simplesmente sentiu-se compelido a ir embora. E, ao partir, disse: "Como nada do que faço lhe agrada, resolvi sair de sua vida e deixar que encontre alguém que não tenha tantos defeitos quanto eu". Em lágrimas, essa mulher confessou: "Amo meu marido e não era minha intenção apontar seus defeitos a toda hora, mas sou perfeccionista, e ele é muito relaxado. O fato é que se erra tanto em pensar quanto em dizer alguma coisa, e eu sempre fiz questão de apontar todos os erros dele; não conseguia conter-me. Resultado: acabei pagando um preço muito alto por manter essa fixação um tanto egoísta, você não acha?".

Um fleumático cuja esposa, desesperada, finalmente o convencera a buscar aconselhamento admitiu que construíra uma câmara de som para sua psique e entrava nela cada vez que a esposa estava por perto. Ele era razoavelmente atencioso com as pessoas, mas em casa era como "uma pedra". A companheira, de gênio alegre e vivaz, achava aquilo intolerável. O marido dizia: "Não me exalto; não gosto de briguinhas e confusões". Com essa atitude assumia a maneira mais eficiente de produzir úlceras, não só na esposa, como também em si próprio. Escapar da realidade, protegendo-se atrás de um muro de silêncio construído por ele mesmo, não é uma atitude compatível com o papel de liderança que deve ser exercido por um pai e marido no lar.

Esses são exemplos de desculpas usadas para justificar um temperamento egocêntrico. Pouco ou nada se pode fazer, até que a pessoa esteja pronta a reconhecer que tem um problema. Em vez de culpar o temperamento por suas aberrações de comportamento, o indivíduo deve reconhecer seus defeitos natos e permitir que o Espírito Santo os modifique. Os atos refletem não apenas o caráter, mas também os costumes mais significativos. A personalidade nos encaminha para um padrão de conduta, o costume perpetua e reforça esse comportamento. O cristão não é escravo do hábito! Os hábitos — mesmo os mais arraigados na vida de uma pessoa — podem ser modificados pela fonte divina de poder que habita no crente.

Saiba discernir seu temperamento

Só lhe será possível usar bem a teoria quando você souber discernir seu tipo de temperamento. Para um estudo mais extenso das particularidades de cada um sugiro a leitura de meu primeiro livro, *Temperamento controlado pelo Espírito*.

Após examinar minuciosamente o gráfico dos temperamentos, você poderá descobrir suas características predominantes fazendo uma lista das que se destacam em sua personalidade. Observe primeiro seus pontos fortes — as qualidades —, porque é mais fácil ser objetivo quanto a seus atributos positivos do que quanto aos negativos. Uma vez determinadas as virtudes, procure encontrar as fraquezas correspondentes. Muitas pessoas possuem uma tendência a mudar de ideia quando examinam seus defeitos, mas é melhor resistir a essa tentação e enfrentar sua personalidade *com* realismo.

Diversos fatores devem ser lembrados quando você quiser descobrir seu temperamento. O mais importante é que *ninguém*

se caracteriza por apenas um temperamento. Não só os pais, mas também os avós contribuem para a formação da personalidade do indivíduo; assim, todos são uma mescla de temperamentos, pelo menos dois e às vezes até três. Emmanuel Kant e seus seguidores europeus deixaram de reconhecer essa ideia, que caiu em descrédito com o advento da psicanálise freudiana. A insistência intransigente de Kant de que toda pessoa se enquadra em um único dos quatro tipos, excluindo-se os outros três, não pôde ser mantida por muito tempo depois de um exame criterioso da teoria.

Todos a quem tenho aconselhado têm revelado características de mais de um temperamento. Mas, em geral, um deles sempre se destacará. Exemplifico: um sanguíneo-colérico pode ser 60% sanguíneo e 40% colérico. Um melancólico-colérico poderá ser 70% melancólico e 30% colérico. É possível até que uma pessoa seja 50% fleumática, 30% sanguínea e 20% melancólica. Não tenho tido muito sucesso em estabelecer quantitativa ou percentualmente um temperamento, mas quanto mais predominante for um dos quatro, mais fácil é o diagnóstico da personalidade. Às vezes é impossível determinar as características secundárias. Naturalmente, uma pessoa que tenha uma combinação de dois ou três temperamentos bem destacados será difícil de diagnosticar.

Uma compensação para alguém cujo temperamento seja uma mistura que dificulte a análise é que ele não será de modo algum um extremista. Se por um lado suas qualidades não são muito salientes, por outro, tampouco, são seus defeitos. Assim, não é o caso de se frustrar por não ter tendências temperamentais muito acentuadas. Esse indivíduo pode se considerar perfeitamente normal, embora, em minha experiência, sejam casos muito raros.

Maturidade espiritual

Um fator comumente esquecido, quando alguns crentes procuram analisar seus temperamentos, é a obra modificadora e amadurecedora realizada pelo Espírito Santo. O temperamento está baseado no material ainda tosco com que nascemos. Desse modo, quanto mais um crente amadurece espiritualmente, mais difícil é o diagnóstico de seu temperamento básico. Assim, é útil examinarmos o material ainda bruto, a personalidade, como era antes de o Espírito Santo ter iniciado sua obra.

Há tempos, quando fui a uma conferência sobre vida familiar e profecia em uma igreja do Centro-Oeste norte-americano, a pessoa responsável veio me esperar no aeroporto. Aos 72 anos, ele era o cavalheiro mais educado, bondoso e cheio do Espírito que eu jamais conhecera. Naquela semana, fui informado de que ele era presidente de uma das maiores fábricas de móveis do mundo; era, portanto, um homem excepcionalmente bem-sucedido. E quanto mais coisas eu descobria a seu respeito, mais admirado ficava. Em geral, homens fleumáticos não compram uma empresa quase falida em meio a uma depressão econômica e conseguem fazê-la sair do buraco e prosperar. Isso seria trabalho para um colérico. Pois em conversa com seus amigos fui descobrindo que esta era sua história.

Em seus primeiros tempos ele fora um colérico típico, um "comedor de fogo", com algumas tendências à melancolia. Trabalhava noite e dia; era organizado, cheio de iniciativa e conseguia colher resultados onde outros tinham falhado. Aos trinta e poucos anos, se converteu. Tempos depois, um tanto acidentalmente, começou a ensinar a Bíblia a um casal recém-convertido. Esse estudo bíblico logo transformou-se em uma classe, e a seguir foi necessário estabelecer uma noite especial para as reuniões. Quando vim a conhecê-lo, essas aulas já eram realizadas três vezes por semana. Hoje, há duas fortes igrejas que resultaram dessas classes bíblicas. Mas a mudança que se operou nesse homem foi igualmente maravilhosa. A Palavra de Deus "habita ricamente nele", e o Espírito Santo moldou de tal forma suas características coléricas, a ponto de torná-lo um exemplo bastante atual de um temperamento controlado pelo Espírito Santo. Ao observarmos com cuidado, notamos suas forças coléricas de boa organização e habilidade para a promoção, esforço, propósito no trabalho cristão e otimismo criativo, mesmo aos 72 anos. Faltavam-lhe, entretanto, ira, amargura, ressentimento, crueldade e outras formas de carnalidade típicas. Esse homem não conhecia nada a respeito da teoria, mas sabia o que era estar cheio do Espírito Santo. Não é necessário conhecer os princípios do temperamento para ser modificado pelo Espírito Santo, mas esses preceitos apontarão os defeitos mais perigosos de cada personalidade para que possamos apressar o processo de modificação.

Outro fator a ser considerado quando estiver diagnosticando seu temperamento é a idade. A maioria dos temperamentos é mais fácil de distinguir entre os 15 e os 35 anos. Dessa época em diante, suas atitudes em geral se alternam, a não ser que os hábitos, as experiências ou outras pressões as acentuem.

A condição física da pessoa também afetará suas expressões de temperamento. A pressão alta poderá levar um temperamento fleumático a assumir atitudes de atividade mais intensa do que seria o comum. A pressão baixa tenderá a tornar um sanguíneo ou colérico menos tenso. Já outras pessoas possuem estruturas fisiológicas que criam tensões nervosas — e isso certamente afetará a expressão de suas características.

Por vezes, a educação na infância forma impressões e hábitos que parecem embotar o temperamento secundário. Libertada dessas inibições pelo Espírito Santo, a personalidade mostrará uma mudança marcante. Minha esposa, a quem quero muito, é um exemplo disso.

Ela foi criada em um ambiente bastante severo e, durante os primeiros anos de nosso casamento, o medo era um fator preponderante em sua vida. Se naquela época eu tivesse diagnosticado seu temperamento, a teria considerado 70% fleumática e 30% sanguínea. As pessoas que a conheciam consideravam-na uma jovem suave, meiga e graciosa. Seis anos antes, ela tivera a experiência da plenitude do Espírito Santo. Desde então, a mudança tem sido surpreendente. Vi uma pessoa excessivamente retraída transformar-se em uma mulher vibrante, maravilhosa. Os temores que a prendiam foram afastados, provocando a libertação de impulsos sanguíneos antes reprimidos. Minha esposa, antes tão tímida, que dizia: "Acho que para mim seria melhor desaparecer do que falar em público"; ou "É meu marido o orador da família", tornou-se uma oradora dinâmica, capaz de magnetizar um auditório. Não é próprio das pessoas fleumáticas, mas sim das sanguíneas" conseguir isso. Mas, como se fora um botão de rosa a abrir-se, Deus tomou minha esposa (antes tão fechada, que passou quatro anos em nossa igreja sem nunca ter sido sequer convidada para fazer uma palestra para um pequeno grupo da sociedade de senhoras) e agora a usa em palestras para senhoras em muitas cidades da costa oeste dos Estados Unidos. A última vez que fui esperá-la no aeroporto, vinda de outro estado, comentei: "Se isso continuar assim, logo serei conhecido como 'o marido de Beverly Lahaye'".

As palestras são apenas uma das áreas de mudança nesta ex--fleumática-sanguínea. Velhos amigos que encontram Beverly, hoje dinâmica e desinibida, quase não acreditam que seja a mesma pessoa. Se eu fosse diagnosticar seu temperamento neste estágio de sua vida, diria que ela é mais sanguínea do que fleumática —

talvez 55% sanguínea e 45% fleumática. Naturalmente, grande parte da mudança operada nela reflete a modificação feita pelo Espírito Santo, mas em parte deve-se também à eliminação de atitudes e hábitos de infância que inibiam seu temperamento predominante. Sei que essa mudança foi operada pelo Espírito Santo porque toda modificação tem sido fortemente positiva. Do que conheço do assunto, percebo que ela não desenvolveu nenhum dos pontos característicos negativos do sanguíneo.

A vida nos mostra a importância do aprendizado no período da infância. Depois de levar seu filho à experiência com Cristo, a melhor coisa que você pode fazer por ele é dar-lhe um ambiente de amor e compreensão, onde tenha liberdade de agir por si mesmo. Isso não significa licença para fazer coisas erradas, nem exclui a disciplina, mas requer que os pais não descarreguem sobre os filhos as próprias frustrações de temperamento, que exercitem o amor, a compreensão e o autocontrole que vem do Espírito Santo. Toda criança tem de ser tratada como um indivíduo. Algumas precisam ser disciplinadas severamente com amor, enquanto outras podem entrar na linha com apenas um olhar mais sério. Mas os pais devem ser controlados pelo Espírito Santo de uma forma especial, para que os filhos, aquilo que eles têm de mais precioso, cresçam até alcançarem todo o potencial de suas habilidades individuais.

Outro fator que pode afetar o comportamento da pessoa, criando uma impressão errada quanto a seu temperamento natural, é a existência de um trauma, que pode ter sido provocado por um único acontecimento ou uma série deles em sua vida. Esses traumas são mais predominantes nas áreas do medo, causando no indivíduo atitudes de retração e recolhimento. Por exemplo, alguns indivíduos que normalmente falariam em público, por terem tido uma experiência traumatizante, sentem-se tolhidos a ponto de nem tentarem. Se uma criança, por exemplo, tentar representar em uma peça de teatro na escola e for ridicularizada em vez de elogiada, pode desenvolver uma inibição que perdure a vida toda. Algumas pessoas, quando se sentem envergonhadas, reagem com nervosismo, com risadas inadequadas ou alguma forma de comportamento irregular.

Um menino de oito anos de idade, do tipo sanguíneo, estava com a personalidade completamente alterada, à beira de um colapso nervoso. Em vez de ser um garotinho alegre, despreocupado, estava sempre carrancudo. Qualquer pessoa que o visse nessas condições concluiria que se tratava de uma criança extremamente melancólica. Na realidade, ele pouco tinha de melancólico no temperamento. O problema era a vida traumática que levara em casa. Os pais eram divorciados, mas antes da separação a criança fora testemunha constante das brigas intermináveis do casal. Isso acabou com todo o seu sentido de segurança, tão necessário. Quando os pais lançavam sobre o menino suas frustrações, gritando a cada vez que fazia um barulho ou uma traquinagem que os desagradassem, ele se recolhia a sua colcha protetora e alimentava suas mágoas. Tinha poucas esperanças para o garoto quando a mãe e o padrasto o trouxeram a meu gabinete. Mas depois que eles aceitaram a Cristo e cresceram na graça dele, cobriram o menino com o amor e a paciência de que ele tão desesperadamente precisava. Então houve a transformação, que é um testemunho do poder de Deus. Hoje ele está no último ano do Ensino Médio. Você jamais desconfiaria que esse jovem cheio de vida foi, aos oito anos, um garoto fechado e triste. É evidente que o amor de Cristo transbordando dos pais para os filhos faz uma diferença enorme na maneira como eles se desenvolvem.

É um erro perigoso pensar que determinado tipo de temperamento seja melhor do que outro, ou que um conjunto de temperamentos seja preferível a outro. Kant considerava o colérico melhor. Alexander Whyte, pregador, preferia o sanguíneo-fleumático por ser mais acessível, simpático e, ao mesmo tempo, controlado. Mas Deus nos criou a todos "para a sua glória". Não importa quem somos, todos possuímos pontos positivos e negativos. Quanto mais forem os traços positivos, mais serão os negativos. Essa é a razão por que as pessoas muito talentosas frequentemente têm tantos problemas emocionais. Se você tiver traços positivos de temperamento em um nível médio, os negativos também se manterão nesse nível. Além disso, pode-se dizer que "o pasto é sempre mais verde do outro lado do rio", isto é, as pessoas tendem a querer ser aquilo que não são. É raro conversar com alguém que esteja satisfeito com a personalidade que possui, pois todos nós temos consciência de nossas falhas e fraquezas. Infelizmente, é muito comum exagerarmos nossos defeitos e depreciarmos nossas qualidades. Essas tendências, com a força do hábito, podem induzir muita gente a achar que seu temperamento é o menos desejável.

A natureza do temperamento de uma pessoa é mero acidente. Se você aceitou a Jesus Cristo como seu Senhor e Salvador, o Espírito Santo habita em sua vida. Por intermédio dele, suas fraquezas serão de tal forma modificadas que a pessoa que Deus quer que você seja se revelará. Os cristãos cheios do Espírito Santo são exemplos vivos de temperamentos transformados.

Na Bíblia — revelação da vontade de Deus para o homem — lemos relatos da vida de muitos líderes espirituais. Vários desses personagens são exemplos clássicos da ação do poder transformador de Deus sobre o temperamento humano. Nos capítulos seguintes, examinaremos quatro desses homens. Tenha em mente que a obra modificadora de Deus em cada um deles está também a seu alcance. Repetidas vezes Deus disse aos personagens bíblicos: "Eu sou o Deus de Abraão, Isaque e Jacó...". Isso significa que seu poder é constante, de uma geração para outra. No Novo Testamento lemos que o Senhor Jesus: "... é o mesmo ontem, hoje e para sempre". O mesmo poder que transformou homens no Antigo e no Novo Testamento hoje ainda a nossa disposição; por isso, nos beneficiamos ao ver como Deus os transformou.

4

Pedro, o sanguíneo

Pedro é, provavelmente, o personagem mais querido do Novo Testamento. A razão é muito simples. Como é totalmente extrovertido, seus defeitos são visíveis a todos. Ele tropeça de modo impetuoso pelas páginas dos Evangelhos, deixando à mostra a carne crua do sanguíneo. Em um momento é amável e alegre; no outro, assusta com suas atitudes. Sem dúvida alguma, é o homem mais sanguíneo da Bíblia. Examinemos as qualidades desse temperamento.

O sanguíneo é caloroso, amável e simpático. Atrai as pessoas como se fosse um ímã. Tem bom papo, é otimista e despreocupado, "é a vida da festa"! É generoso, compassivo, adapta-se ao ambiente e ajusta-se aos sentimentos alheios. Porém, como os outros temperamentos, tem seus defeitos. Em geral tem pouca força de vontade; emocionalmente é instável e explosivo, irrequieto e egoísta. Na mocidade, é considerado "aquele que vai ser mais bem-sucedido", raramente, entretanto, alcança o que dele se espera. Tem grande dificuldade em seguir detalhadamente as instruções e quase nunca fica quieto. No fundo dessa capa de ousadia, ele é muitas vezes inseguro e temeroso. Os sanguíneos são bons vendedores, oradores, atores e, não raro, tornam-se líderes.

O apóstolo Pedro é, com exceção do Senhor Jesus Cristo, o homem que mais sobressai nos Evangelhos e ocupa situação relevante nos primeiros dez capítulos de Atos. Ele falava mais do que os outros discípulos e conversava com maior frequência com o Senhor. Nenhum discípulo, a não ser Judas, o Iscariotes, teve reprovação mais severa, e nenhum outro discípulo ousou, como ele, repreender o Senhor. Por outro lado, nenhum discípulo testemunhou, como Pedro, tanto respeito e amor por Cristo e nenhum outro recebeu louvor tão pessoal do Salvador.

Pedro tinha o carisma que atrai as pessoas, sejam elas daquele primeiro século, sejam os leitores do século XXI. Sem dúvida, Pedro exibia calor, intensidade e ação dinâmica. Essa qualidade sanguínea é provavelmente a razão pela qual Hipócrates concluiu ser esse temperamento causado por "sangue quente". Alexander Whyte disse dele:

> A pior doença do coração humano é a frieza. Bem, Pedro tinha muitos defeitos, porém jamais coração frio. As falhas de Pedro estavam todas justamente no calor de seu coração. Tinha a mente vibrante, era impulsivo demais, cheio de entusiasmo. Seu coração quente sempre lhe subia à boca e muitas vezes ele falava quando deveria ter ficado quieto.

Pedro era transparente e nunca deixava seus amigos em dúvida quanto ao que pensava — ele lhes falava tudo! Essa tendência tão extrovertida torna seu temperamento o mais fácil de escolher para estudo na Bíblia.

O único que encontra dificuldade em diagnosticar um temperamento sanguíneo é o próprio sanguíneo. Ele raramente analisa seus pensamentos e suas ações, apenas irrompe com impulsividade e se lança de uma crise a outra. Muitos sanguíneos têm provocado gargalhadas nos amigos ao declarar: "Não consigo determinar meu temperamento". O sanguíneo é o único que não sabe. Evidentemente, ele tem pouca habilidade analítica e não é dado à introspecção ou ao autoexame.

Pedro deixa a impressão de ter sido um homem de grande estatura física, quando caminha vigorosamente pelas páginas dos primeiros cinco livros do Novo Testamento. Não temos, é claro, como saber ao certo, porque não há uma descrição física do apóstolo. Em geral, os sanguíneos impetuosos que "fazem a história em lugar de escrevê-la" são homens de grande porte; Pedro devia ser assim. Não importa qual a circunstância, ele sempre sobressaía — nascera para ser líder!

O relato bíblico sobre Pedro é bem completo, o que faz dele um excelente exemplo para nosso estudo. É fácil diagnosticar suas qualidades e seus defeitos e, em Atos, temos detalhes que demonstram como o Espírito Santo o fortaleceu em suas fraquezas. Em lugar de experimentar a frustração comum à maioria dos sanguíneos, Pedro foi de tal forma encorajado quando experimentou a plenitude do Espírito que se destaca como um dos sanguíneos mais bem-sucedidos de que temos conhecimento. Ele não só foi o homem de maior influência na igreja dos primeiros tempos como continua um desafio para os cristãos; um exemplo do que o Espírito Santo pode fazer com uma vida entregue a ele.

Impulsivo

Quando André levou a Jesus seu irmão sanguíneo, Simão, este parecia bem longe de se tornar um futuro líder espiritual. Pelo contrário, era apenas um pescador barulhento, profano e genioso, cujo traço mais evidente era a impulsividade. Quando agia, fazia-o "de imediato", como dizem as Escrituras. Quando um diálogo ia cessando, era ele quem o continuava. Falava pelos cotovelos! Era chamado "o que fala pelos discípulos". As palavras: "Então disse

Pedro", são introdutórias de mais expressões do que a soma total das falas de todos os outros discípulos.

Quando o Senhor chamou a Pedro em Mateus 4:20, sua pronta reação foi: "No mesmo instante eles deixaram as suas redes e o seguiram". Quando as viagens de Jesus levaram os discípulos para perto da casa de Pedro, este impulsivamente convidou a todos para comer e dormir ali, não levando em consideração o fato de sua sogra estar doente (Mc 1:29-30). Porém, como acontece tantas vezes na vida de um cristão sanguíneo, o Senhor Jesus se interpôs, curando milagrosamente a mulher, que passou a ajudar a esposa de Pedro a servir.

O temperamento impetuoso de Pedro é visto com clareza na noite em que Jesus andou sobre o mar. "Senhor, disse Pedro, se és tu, manda-me ir ao teu encontro por sobre as águas. Venha, respondeu ele. Então Pedro saiu do barco, andou sobre as águas e foi na direção de Jesus" (Mt 14:28-29). Quem, a não ser um sanguíneo impulsivo e até um tanto infantil, iria querer deixar a segurança do barco e andar por cima d'água?

Essa história ilustra também uma tendência comum, porém menos notada. Apesar de sua valentia e coragem aparentes, em geral o sanguíneo é bastante medroso. Salta sem olhar, mas logo fica apreensivo quanto às consequências do salto. Foi exatamente isso o que aconteceu com Pedro. Depois de alguns passos na água, em vez de olhar para o Senhor, "reparou no vento, ficou com medo e, começando a afundar, gritou: 'Senhor, salva-me'". E, prontamente, Jesus, estendendo a mão, tomou-o e lhe disse: "Homem de pequena fé, por que você duvidou?" (Mt 14:30-31).

Essa característica do sanguíneo de saltar antes de olhar e depois tremer com as possíveis consequências mudará quando o Espírito Santo transformar sua vida. Ele se tornará "pacífico", terá "domínio próprio" e "esperará no Senhor", em vez de correr desesperadamente em todas as direções. Em lugar de tremer, manterá seus olhos fixos em Cristo e nas circunstâncias em que se encontra. Quem vê a situação terá suas dúvidas, mas Pedro é um bom exemplo do que se deve fazer quando dúvidas, ansiedades ou temores tomam conta de você. Ele clamou "Senhor, salva-me!" e Cristo o salvou.

Não devemos ser demasiadamente severos com a atitude incrédula de Pedro nessa ocasião. Ao menos ele teve fé a ponto de sair do barco e entrar no mar impetuoso. Foi mais do que os outros discípulos fizeram, e alguns deles teriam lucrado se tivessem o espírito mais audacioso.

Uma das explosões de Pedro nos oferece um vislumbre cheio de humor quanto a seu constante impulso para falar. Na posição de um dos três discípulos preferidos, Pedro, juntamente com Tiago e João, foi com o Senhor ao monte da Transfiguração. Jesus "foi transfigurado diante deles. Sua face brilhou como o sol..." A esses três homens foi dado o privilégio de ver a glória divina do Senhor brilhando por meio de sua humanidade. Então apareceram Moisés e Elias, dois dos homens mais respeitados da história de Israel, "conversando com Jesus". Incontrolavelmente comovido, como nos relata a Bíblia, "Pedro disse a Jesus: Senhor, é bom estarmos aqui. Se quiseres, farei três tendas: uma para ti, uma para Moisés e outra para Elias" (Mt 17:1-13).

Sempre que um sanguíneo não sabe o que fazer, ele fala. É certo que romperá qualquer período de silêncio tenso com palavras, por vezes ditas na hora errada, desnecessárias ou até mesmo inconvenientes. Esse foi o caso de Pedro. Ninguém havia perguntado, porém, ele já veio como uma "resposta". Se houve uma hora em que se devia manter a boca fechada, essa foi uma delas. Mas Pedro não se sentiu envergonhado. Ele tinha que dizer algo, então falou inadvertidamente: "Senhor, é bom estarmos aqui!".

Não é um exemplo clássico? Ali estava ele, desfrutando o raro privilégio de ver dois homens que haviam morrido cerca de mil anos antes, e disse: "É bom estarmos aqui". E isso não bastou. Nosso tagarela impulsivo prossegue sugerindo que façam três tendas. Não lhe ocorreu que os espíritos de homens mortos não precisam de tendas, e que permanecer no cume do monte faria malograr o propósito de nosso Senhor em vir ao mundo. Sei que as intenções de Pedro eram boas — geralmente o são —, mas nada muda o fato de que suas ideias impulsivas e impensadas são frequentemente mal dirigidas. Nessa ocasião, ele estava tão enganado que o Deus Todo-Poderoso falou dos céus estas palavras: "Este é o meu filho amado de quem me agrado. Ouçam-no!". Pedro deveria ter escutado, e não falado (Mt 17:5).

A ilustração mais conhecida da impulsividade de Pedro deu--se no jardim do Getsêmani. O Senhor Jesus acabara de beber do cálice da nova aliança em seu sangue e estava pronto a se oferecer em sacrifício pelos pecados do mundo. Uma multidão armada de espadas e archotes, vinda da parte do sumo sacerdote, fariseus e oficiais do povo, surgiu para prendê-lo à força. João nos conta que: "Simão Pedro, que trazia uma espada, tirou-a e feriu o servo do sumo sacerdote, decepando-lhe a orelha direita. (O nome daquele servo era Malco)" (Jo 18:10). É claro, Pedro era pescador, não esgrimista. Provavelmente apontou para a cabeça de sua vítima; mas, ou o homem se abaixou, ou Pedro não tinha prática, por isso só lhe cortou a orelha. Mateus explica a razão da atitude de Pedro quando Jesus perguntou: "Você acha que eu não posso pedir a meu pai, e ele não colocaria imediatamente a minha disposição mais de doze legiões de anjos?" (Mt 26:53). O problema de Pedro era que ele não pensava! Os sanguíneos, por natureza, agem, não pensam. Quando pressionados, têm de *fazer* alguma coisa.

Essa falta de reflexão causa a perda de ricas bênçãos na vida dos sanguíneos. Por exemplo, quando Pedro e os demais discípulos lamentavam a morte do Senhor, algumas mulheres foram dizer-lhes que haviam estado junto à sepultura, encontrando-a vazia, e viram um anjo que lhes dissera: "Ele não está aqui; ressuscitou, como havia dito" (Mt 28:6). Como era de esperar, os dois homens correram para a sepultura. João, sendo mais jovem, chegou antes, mas parou à entrada do túmulo vazio. Ao chegar, Pedro empurrou o companheiro para passar a sua frente e correu para dentro do túmulo. Ao contrário de João (que viu a evidência e creu que Cristo ressuscitara), Pedro saiu triste dali e confuso, pois suas emoções ofuscaram-lhe a percepção do óbvio, que fizera de João um crente (Jo 20:9). Somente depois que o Senhor apareceu-lhe pessoalmente foi que se convenceu de que Jesus tinha realmente ressuscitado.

Outra história encantadora, que nos revela algo da impulsividade de Pedro, ocorreu no mar da Galileia, depois da ressurreição de Cristo. João relata (Jo 21:1-11) a decisão de Pedro: "Vou pescar". Como da outra vez, eles pescaram a noite toda sem sucesso. Jesus surgiu na praia e mandou que os discípulos lançassem as redes do outro lado do barco. Obedeceram e, de repente, tinham tantos peixes na rede que não puderam içá-la. João exclamou: "É o Senhor!". Quando Pedro ouviu isso, esqueceu-se dos peixes, pulou na água e nadou até Jesus. Tipicamente sanguíneo, deixou o trabalho inacabado quando encontrou algo mais atraente para fazer. Nós elogiamos Pedro por seu amor a Cristo nessa ocasião, mas ele deixou a tarefa para os outros terminarem, apesar de lhes ajudar quando chegaram mais perto da praia. Os sanguíneos não são preguiçosos, mas tendem a pular de uma coisa para outra; têm pouca capacidade de concentração.

Desinibido

Nem todas as ações impetuosas de Pedro foram de efeito negativo. Em diversas ocasiões ele fez ou disse inesperadamente coisas tão maravilhosas que até hoje, quando lemos os relatos, sentimos nosso coração aquecer. Os sanguíneos têm essa agradável capacidade. Na hora em que se está mais irritado por causa da falta de consideração alheia, eles fazem alguma coisa que inspira afeto. Assim era Pedro. É muito difícil não amar um sanguíneo —, às vezes, apesar dele mesmo!

Um desses episódios ocorreu nos primeiros dias do ministério de nosso Senhor (Lc 5:1-11). Uma multidão se aglomerou ao redor de Jesus à beira-mar para ouvir seus ensinamentos. Ele entrou no barco de Pedro e pediu que o empurrasse para um pouco mais longe da praia. Terminando a mensagem, Jesus pediu a Pedro: "Vá para onde as águas são mais fundas, e a todos: Lancem as redes para a pesca". Simão, o sanguíneo, em desânimo, respondeu: "Mestre, esforçamo-nos a noite inteira e não pegamos. Mas, porque és tu quem está dizendo isto, vou lançar as redes". Uma das tendências de sua personalidade valeu-lhe bem, pois os sanguíneos gostam de agradar. Têm prazer em se acomodar às pessoas e muitas vezes fazem qualquer coisa que possam para não descontentar. "Mas, porque és tu quem está dizendo isto, vou lançar as redes." Logo que lançou a rede, "pegaram tal quantidade de peixes que as redes começaram a rasgar-se [...] a ponto de começarem a afundar".

Foi então que Simão, o sanguíneo, fez algo que enternece o coração dos cristãos. Comovido, sem acanhamento algum, ele "prostrou-se aos pés de Jesus e disse: Afasta-te de mim, Senhor, retira-te de mim, porque sou homem pecador". Essa emoção explícita é típica do sanguíneo. Muitas pessoas julgam que quem possui esse temperamento é hipócrita ou um tanto falso por ter atitudes precipitadas em público. Isso não é verdade. Os sanguíneos são muito desinibidos, com tendência a fazer aquilo que lhes vem à cabeça. Provavelmente a impulsividade os preocupará mais tarde, mesmo assim é comum vê-los mostrar seu íntimo com toda sinceridade. Sem dúvida, era esse o caso de Simão, que se esqueceu de todos os demais e adorou abertamente o Senhor. Essa sinceridade é evidenciada quando, pouco tempo depois, ele obedeceu ao chamado do Mestre, deixando suas redes e seguindo-o.

Falante

Encontramos outro efeito positivo da língua impulsiva de Pedro em Mateus 16:13-20. Na metade de seu ministério de três anos e meio, nosso Senhor perguntou aos discípulos quem os homens pensavam que ele fosse. Responderam: "Alguns dizem que é João Batista; outros, Elias; e, ainda outros, Jeremias ou um dos profetas". Então Jesus perguntou: "E vocês [...] quem vocês dizem que eu sou?". Instantaneamente, Pedro respondeu: "Tu és o Cristo, o Filho do Deus vivo". Esse belo testemunho agradou tanto ao Salvador que este replicou: "Feliz é você, Simão, filho de Jonas! Porque isto não lhe foi revelado por carne ou sangue, mas por meu Pai que está nos céus". O testemunho de Pedro quanto à identidade de Jesus foi o mais verdadeiro até aquele momento na vida do Senhor. Demonstra que já naquele momento Deus estava falando-lhe ao coração. Os sanguíneos têm enorme capacidade de responder com entusiasmo a esse tipo de motivação; por isso seus espíritos os compelem a andar nos caminhos de Deus quando permitem que ele lhes fale com regularidade por intermédio de sua Palavra. Porém, devido ao fato de a mente, bem como as experiências, levar o coração a sentir, é muito importante que o sanguíneo avalie seus pensamentos. Duvido que a resposta de Pedro fosse premeditada. Ele não era analítico, mas ouvira os ensinos insuperáveis de Cristo e tinha visto sua vida singela e santa durante quase dois anos. Intimamente sabia que esse homem era mais que humano — era divino. Então, quando a pergunta lhe foi feita, Pedro apenas disse o que sentia. Somos todos inspirados pela resposta maravilhosa de Simão, o sanguíneo.

De todos os eventos na vida do apóstolo sanguíneo, meu episódio favorito se encontra em João 6:66-69. Se esse fosse o único episódio relatado da vida de Pedro, eu já o amaria tão somente por isso. O Senhor Jesus era divino quando andou sobre a terra, mas era também genuinamente humano, a ponto de ter fome, cansaço, entristecer-se, chorar, e ser movido de compaixão. Perto do fim de seu ministério terreno, João nos relata um desses momentos.

Muitos queriam seguir Jesus a fim de receber os "pães e peixes" e suas curas, enquanto Jesus queria que as pessoas o adorassem pelo que era (por quem era) e pela verdade que proferia. Começou então a enfatizar as dificuldades que seus seguidores encontrariam se realmente o aceitassem e acompanhassem. Isso foi difícil demais para um grande número de pessoas, pois lemos que "muitos dos seus discípulos voltaram atrás e deixaram de segui-lo". Com profunda tristeza, o Mestre perguntou aos doze: "Vocês também não querem ir?". Pedro, amável, impulsivo, quebrou o silêncio com as palavras imortais: "Senhor, para quem iremos? Tu tens as palavras de vida eterna. Nós cremos e sabemos que és o Santo de Deus" (Jo 6:69). Em quase dois mil anos, homem algum pôde superar essa declaração clássica.

Sim, Pedro era todo coração. Mas, quando aquele coração estava firmado em Jesus Cristo, ele se saía muito bem. Por outro lado, quando seu afeto se fixava em outros ou em si mesmo, ele se saía mal. Esse problema não se limita aos de temperamento sanguíneo! O sucesso da vida de qualquer cristão é determinado pela direção do coração. É por isso que o Espírito Santo nos instrui: "Mantenham o pensamento nas coisas do alto, e não nas coisas terrenas" (Cl 3:2).

Egoísta

Outra tendência da pessoa sanguínea é o egoísmo. Segundo o seu tipo, Pedro não poderia ter sucesso sem que isso lhe subisse à cabeça. No mesmo capítulo em que Mateus relata sua excelente confissão (Mt 16), vemos sua queda trágica. O Senhor elogiou a Pedro no versículo 17 por aquilo que ele dissera e prometeu-lhe as chaves do reino dos céus. Mais tarde, Pedro, cheio do Espírito Santo, usou essas chaves ao pregar o evangelho aos judeus (At 2), e na primeira pregação do evangelho aos gentios (At 10). Mas, em seu fervor, teve a ousadia de repreender o próprio Senhor Jesus, chamando-lhe a atenção pelo que pretendia fazer.

Depois da confissão de Pedro, o Senhor começou a preparar o espírito de seus discípulos para o verdadeiro propósito de sua vinda. Ele lhes informou de que "era necessário que ele fosse para Jerusalém e sofresse muitas coisas nas mãos dos líderes religiosos, dos chefes dos sacerdotes e dos mestres da lei, e fosse morto e ressuscitasse no terceiro dia". Até então Pedro aceitara tudo que o Senhor Jesus dizia, mas a ideia de sua morte o chocou. O apóstolo rejeitou tão veementemente essa possibilidade, que pareceu não ouvir a promessa do Salvador de ressuscitar ao terceiro dia. Simão, o sanguíneo, ficou tão agitado que colocou as mãos sobre Jesus, pois diz o texto: "Então Pedro, chamando-o à parte, começou a repreendê-lo, dizendo: Nunca, Senhor! Isso nunca te acontecerá!". Alguns momentos antes, reconhecera a Jesus como "Filho do Deus vivo", porém agora queria corrigi-lo.

De modo egoísta, começou a falar ao "Cristo, Filho do Deus vivo" o que ele deveria fazer. "Nunca, Senhor! Isso nunca te acontecerá!" (Mt 16:22). O sanguíneo Simão estava errado, pois no fim aquilo aconteceu mesmo — Jesus foi crucificado. Na realidade, se não houvesse ocorrido, jamais teríamos recebido o perdão por nossos pecados.

A ação impulsiva de Pedro, motivada pelo egoísmo, valeu-lhe a repreensão mais severa jamais feita por nosso Senhor a qualquer pessoa, com exceção de Judas Iscariotes e dos fariseus. Voltando-se para Pedro, disse: "Para trás de mim, Satanás! Você é uma pedra de tropeço para mim, e não pensa nas coisas de Deus, mas nas dos homens". O espírito do discípulo por certo ficou esmagado com a censura. A Bíblia não diz isso, mas muito provavelmente ele terá ficado desnorteado por algum tempo. Geralmente os sanguíneos são assim mesmo; tendem a se ofender com facilidade, mesmo que se recomponham dali a pouco.

Essa história nos dá uma excelente ilustração de um problema comum a todo sanguíneo. A tendência egoísta de Pedro o tornava vulnerável aos dardos de orgulho do diabo. O Senhor revelou que Satanás era o autor daquelas palavras. Anos mais tarde, Pedro deu instruções em sua primeira epístola (5:5-9) que lembram esse evento. Ele retrata o diabo como um leão bramando, buscando a quem possa tragar.

Ao lermos esse texto, pensamos no diabo tentando fazer com que os cristãos neguem ao Senhor, cometam adultério ou qualquer outra forma grosseira de pecado. Mas Pedro estava escrevendo a respeito da humildade. "Humilhem-se debaixo da poderosa mão de Deus..." Pedro sabia, por experiência própria, que o diabo ruge ao nosso redor, procurando atiçar as inclinações egoísticas para que se transformem em orgulho. Mas a arrogância será abatida. A queda de Pedro deu-se quando ele permitiu que o diabo tomasse as palavras de louvor do Senhor e as transformasse em um incêndio de orgulho. Quando damos lugar à soberba extinguimos o Espírito Santo em sua obra interior, e logo essa falha se expressa em ação desonrosa para Cristo. Simão, o egoísta, serve de aviso para que resistamos a essa tendência, pois, ao fazê-lo, estaremos também resistindo a Satanás. A propósito, os sanguíneos não mantêm o monopólio sobre esse tipo de fraqueza.

Interesseiro

Por natureza, o sanguíneo é muito generoso. Se vê alguém passando necessidade, sua reação emocional geralmente é de compaixão. Durante a grande depressão financeira dos Estados Unidos, o sanguíneo meu pai, com esposa e três filhos em casa, ficou tão comovido ao ver um menino faminto, que impulsivamente deu-lhe seu último vintém. Essa foi uma generosidade louvável, motivada pelo coração e não pela mente. Sem dúvida, Pedro era assim. Mas há também no sanguíneo uma forte tendência de sentir-se inseguro. Essa ansiedade, juntamente com o desejo de projeção pessoal, motivou Pedro a fazer um pedido em seu próprio interesse.

O Senhor Jesus usou o "jovem rico" como exemplo para ensinar a seus discípulos o quanto é difícil para quem ama seus bens terrenos entrar no reino do céu. "Então Pedro lhe respondeu: Nós deixamos tudo para seguir-te! Que será de nós?" (Mt 19:27). Provavelmente esse pensamento egoísta não foi só de Pedro, mas tinha de haver um sanguíneo para colocá-lo em palavras. A resposta do Senhor revela a natureza da verdadeira fraqueza, pois diz: "Muitos primeiros serão últimos, e muitos últimos serão primeiros" (Mt 19:30). Qual era o verdadeiro problema de Pedro? Ele buscava "posição" já no primeiro século. Deve haver um pouco desse comportamento em todo homem, pois quem pode dizer que jamais fez essa pergunta tão humana: "O que ganho com isso?". Só o Espírito Santo pode nos dar uma disposição consistente de autossacrifício, tão essencial ao cristão genuíno.

Fanfarrão

Uma das falhas mais evidentes do sanguíneo é sua tendência à fanfarrice. Tudo que ele faz ou tem é "o melhor". Mesmo quando merece elogios, sua tentação de alardear seus haveres ou feitos torna-o antipático e decepciona. É só dar-lhe corda, e ele acaba se enforcando verbalmente. Foi o caso daquela noite memorável no cenáculo, quando o Senhor Jesus disse aos discípulos que todos se escandalizariam por sua causa, pois está escrito: "Ferirei o pastor, e as ovelhas do rebanho serão dispersas" (Mt 26:31). Pedro, o fanfarrão, não podia deixar passar essas palavras sem desafiá-las. Mais uma vez, repreendeu o Senhor dizendo: "Ainda que todos te abandonem, eu nunca te abandonarei" (Mt 26:33). O Senhor Jesus prosseguiu dizendo claramente: "Antes que o galo cante, três vezes você me negará" (Mt 26:34). Pedro ofereceu então uma resposta veemente: "Mesmo que seja preciso que eu morra contigo, nunca te negarei" (Mt 26:35). Não é impressionante? É, mas a estrada do sucesso não se faz apenas de boa intenção.

A resposta de Pedro nessa ocasião foi sincera. Uma das características menos compreendidas desse temperamento é sua sinceridade. Você já notou como o sanguíneo é rápido e espalhafatoso em assumir compromissos ou fazer promessas? Quando não consegue cumpri-los, deixa de pagar ou chega atrasado, fica conhecido como mentiroso, relapso. Na realidade, entretanto, o comprometimento é bem sincero; ou melhor, "sinceramente sanguíneo". No cenáculo, ser fiel a Jesus era de suma importância para Pedro e foi muito fácil prometer por estar na presença do

Senhor. Mas é uma característica dessa personalidade se deixar levar pelas circunstâncias do momento. E longe do Senhor, o discípulo não foi capaz de cumprir o que prometera.

Vontade fraca

Geralmente, as intenções do sanguíneo são muito boas. Mas uma das mais sérias dificuldades dessa índole é a fraqueza de vontade. Muitos deles são chamados de "mau-caráter" por seus contemporâneos, ou acusados de assumir compromissos "só da boca para fora", porque capitulam facilmente ante as circunstâncias adversas. Essa fraqueza é, provavelmente, o que os impede de resistir às pressões.

Muitos sanguíneos, quando colocados sob pressão, preferirão mentir a ter de enfrentar situações embaraçosas ou sofrer penalidades. Logo passada a dificuldade, certamente sentirão arrependimento; mas, a não ser que sejam encorajados pelo Espírito Santo, não terão forças ou autocontrole suficiente para deixar de incorrer no mesmo erro. Sem o poder de Deus a fortalecê-lo, o sanguíneo facilmente deixará sua vida emaranhar em uma teia de complexidades.

Na sala de aconselhamento, é frequente o sanguíneo confessar uma série trágica de acontecimentos. Após cometer o chocante pecado do adultério contra um cônjuge fiel e leal (os opostos se atraem reciprocamente), vem sempre aquela velha história contada entre lágrimas: "Eu pretendia cumprir meus votos de fidelidade no casamento!". E, sem dúvida, essa era a intenção. Mas a vontade fraca desse temperamento facilita o esquecimento de promessas do passado e das boas intenções em face das tentações ou das pressões circunstanciais. Um homem de negócios disse-me: "Amo minha esposa e meus filhos, mas eles ficavam em casa enquanto que aquela linda secretária estava ali comigo o dia todo!". Algo que tenho notado a respeito de pecados sexuais é que invariavelmente são seguidos de mentiras e toda espécie de falsos álibis. Uma mentira leva a outra, e não demora muito para que o sanguíneo, que tem memória curta, caia em contradições. A Bíblia diz: "Sentireis o vosso pecado quando ele vos achar".

É interessante que o sanguíneo geralmente fique aliviado quando seu pecado é descoberto. A razão é simples: ele não aguenta a pressão. A teia emaranhada tecida pela infidelidade no casamento cria um sentimento de culpa insuportável. Como é extremamente emotivo, seu arrependimento vem acompanhado de muito choro. Tal qual Pedro, quem possui esse temperamento se arrepende com sinceridade, mas, por meio da posse completa pelo Espírito Santo, a tragédia pode converter-se em uma experiência de vida transformadora; é, porém, importante que a pessoa reconheça que não são suas fortes resoluções ou suas boas intenções que lhe trazem consistência à vida. É o Espírito Santo! Sem que o Espírito Santo esteja habitando em sua existência, não se pode confiar em um sanguíneo. E o pior é que nem ele pode confiar em si mesmo!

Aquele que negou a Jesus

É triste o fato de que as coisas boas que se faz não se tornem tão conhecidas como as más. O evento mais conhecido da vida do amigo sanguíneo de nosso Senhor é sua negação ao Salvador. Assim como Judas é conhecido como "o discípulo que traiu a Jesus", Pedro é conhecido como "o discípulo que o negou". Todos os quatro Evangelhos narram a vergonhosa história. Pode ser que o objetivo do Espírito Santo fosse incutir em nós o fato de que Deus pode tomar o mais inconsistente e fraco monte de barro e fazer dele um grande homem de Deus.

Uma análise cuidadosa dos eventos relacionados com a negação de Pedro nos dá muitas pistas interessantes quanto à fraqueza desse caráter. Ninguém é mais facilmente influenciado pelo ambiente do que ele. Esse fato não se apresenta à primeira vista. O sanguíneo parece ser forte, algumas vezes quase dominador, e nos dá a impressão de poder controlar qualquer situação. Mas não é assim. Esse temperamento precisa desesperadamente do calor da comunhão dos outros crentes.

No caso de Pedro, as dificuldades começaram quando ele deixou os discípulos e procurou a companhia do inimigo. "Os servos e os guardas estavam ao redor de uma fogueira que haviam feito para se aquecerem. Pedro também estava em pé com eles, aquecendo-se" (Jo 18:18). É sempre perigoso para o cristão aquecer suas mãos no fogo do inimigo, sobretudo se for um sanguíneo. Ele é sensível aos que o cercam e tende a adaptar-se a seus costumes, em vez de destacar-se no grupo. Os sanguíneos podem agir de um modo com um grupo de amigos, e de forma completamente diferente com outro.

Mateus nos conta que, enquanto Pedro aquecia as mãos, uma criada passou e disse: "Você também estava com Jesus, o galileu. Mas ele o negou diante de todos, dizendo: Não sei do que você está falando" (Mt 26:69-70). A pressão do grupo era demais para o apóstolo e, assim, ele negou ao Senhor a quem amava. Deixou o fogo e saiu à varanda, enquanto lá dentro Jesus estava sendo julgado. Então "outra criada o viu e disse aos que estavam ali: Este homem estava com Jesus, o Nazareno. E ele, jurando, o negou outra vez, com juramento: Não conheço esse homem".

Muitos sanguíneos, desde Pedro, têm prometido passar a se submeter a Deus caso consigam se livrar "só mais esta vez" de um problema. Infelizmente, esse meio-termo não é o padrão divino. Um pequeno sacrifício poderá iniciar um comprometimento bem maior. Mais cedo ou mais tarde teremos de resistir à pressão que nos rodeia e tomar uma atitude. Feliz o homem que aprende que quanto mais cedo enfrentar as dificuldades, melhor para ele. O desejo instintivo de fugir ao perigo fez que Pedro não apenas repudiasse a Cristo, mas o negasse "sob juramento". Usou um sinal de honestidade para encobrir uma mentira manifesta.

Pouco tempo depois, vieram outros a Pedro. "Certamente você é um deles! O seu modo de falar o denuncia. Aí ele começou a lançar maldições e jurar: Não conheço esse homem! Imediatamente um galo cantou." A vontade que tinha de falar não permitia que Pedro se calasse nem mesmo entre inimigos. A maior parte do povo era da cidade de Jerusalém, enquanto Pedro era traído por seu sotaque da Galileia.

Temos uma ilustração clara da natureza progressiva do pecado. Depois de negar duas vezes ao seu Senhor, Pedro somou à terceira os pecados de praguejar e xingar. Evidentemente, antes de sua conversão ele era um sujeito blasfemo, como muitos de seu temperamento. A maioria dos sanguíneos fala mais rápido do que pensa e, para preencher as lacunas, usa com frequência expressões profanas. Sem dúvida, ele não empregava essa linguagem na presença do Senhor, e é bem possível que há muito tempo tivesse deixado de proferi-la. Mas, sob a pressão do grupo, e num desejo típico de ser aceito pelos que o cercavam, Pedro voltou a seu passado e inconscientemente ao velho hábito do palavreado baixo. Quando tal falha acontece, o sanguíneo explica rapidamente: "Ah! Eu falei só por falar", mas isso não muda o fato de que pecou com a língua, desonrando publicamente a Deus.

Simão, o sanguíneo, caracteristicamente motivado por estímulos externos, ao ouvir o canto do galo, de repente lembrou-se das palavras de Jesus. Sua reação, anotada pelos quatro escritores dos Evangelhos, foi típica do temperamento: "Saindo dali, chorou amargamente". Somente os sanguíneos e os melancólicos são dados ao choro. Mas, ao contrário do que se diz, isso não diminui sua hombridade, apenas revela a profundidade de seus sentimentos e sua habilidade em exprimir as emoções.

As lágrimas amargas de Pedro ao fim desse triste drama ilustram uma tendência tipicamente sanguínea: eles facilmente se arrependem. Quando cometem um pecado grave, têm remorso profundo ao reconhecê-lo, ou ao sentirem-se envolvidos por seus resultados. Muitos sanguíneos modernos confessam sinceramente, expressando pesar. Alguns observadores pensam que a profundidade do arrependimento se mede pela quantidade de lágrimas, mas o choro significa apenas que a pessoa está sendo, no momento, verdadeira. Se for novamente aquecer as mãos na fogueira do inimigo, será uma questão de tempo antes de cair outra vez.

No último capítulo de João, uma cena terna evidencia a profundidade do remorso de Pedro. Depois da ressurreição, Jesus veio a ele e perguntou: "Simão, filho de João, você me ama mais do que estes?". Pedro respondeu: "Sim, Senhor, tu sabes que te amo". Há um jogo importante de palavras que não aparece na tradução para o português. O Senhor Jesus usou o termo grego *ágape*, que no NT significa a forma mais alta de amor, e é empregado para descrever o sentimento de Deus pelo homem. Certamente por seu remorso de ter negado a Jesus, Pedro hesitou em dizê-lo. Ao responder, em vez de "amor", ele preferiu algo semelhante ao nosso "gostar". Alguns tradutores por isso têm redigido assim sua resposta: "Senhor, tu sabes que gosto muito de ti!".

O Senhor Jesus perguntou pela segunda vez: "Simão, filho de João, você me ama? Ele respondeu: 'Sim, Senhor, tu sabes que 'gosto' de ti'". Resposta esta idêntica à primeira. Mas, na terceira vez, Jesus mudou a palavra original para a que Pedro usara e perguntou: "Simão, filho de João, tu 'gostas' mesmo de mim? Pedro ficou magoado por Jesus lhe ter perguntado pela terceira vez 'Você me ama?' e lhe disse: Senhor, tu sabes todas as coisas e sabes que *te amo*". Parece que a ferida da grande negação de Pedro ainda estava tão aberta e profunda que o apóstolo sanguíneo aprendeu finalmente uma valiosa lição. Descobriu que não podia confiar em si mesmo. A única esperança para o sanguíneo é uma vida de dependência do Espírito Santo. Pedro reconheceu que não podia acreditar em suas emoções, daí a relutância em dar uma resposta leviana, além daquilo que pudesse cumprir. Em vez disso, ele agora queria provar seu amor por meio de seus atos. Essa decisão revolucionária em sua vida parece caracterizá-lo dali por diante, evidência de que mesmo um sanguíneo inconstante pode se tornar um instrumento estável e útil quando cheio do Espírito Santo.

A inconstância de Pedro

A história que vimos acima e muitos outros eventos da vida de Pedro indicam que um dos maiores problemas do sanguíneo é o fato de ser inconstante. Sua vida consiste em um paradoxo de extremos. Em um momento é quente, em outro é frio. Não tenho dúvidas de que essa tendência traga a infelicidade. O Senhor Jesus parecia saber que o desejo do coração de Pedro era de ser um indivíduo estável. Por essa razão, mudou seu nome profeticamente, dizendo: "Tu és Pedro...", isto é, uma pedra. O apóstolo se tornou forte e cheio do Espírito.

Quando uma pessoa recebe Jesus Cristo em sua vida, torna-se uma "nova criação". Assim, passa a ter duas naturezas: a velha e a nova. Os dois nomes de Pedro são típicos das duas fases de cada crente. "Simão" representa a antiga qualidade sanguínea, enquanto "Pedro" denota o renovado caráter pétreo do homem estável e constante que o Espírito de Deus moldou do templo sanguíneo de barro. Porém, como vemos na vida do apóstolo, essa transformação não é imediata; é questão de crescimento.

João diz no segundo capítulo de sua primeira epístola: "Jovens, eu lhes escrevi porque vocês são fortes [...] e vocês venceram o maligno". Cristãos imaturos não vencem a antiga natureza. Somente ao amadurecer em Cristo e ser controlado por seu Espírito é que o novo homem controla o velho. Essa mudança é mais evidente na índole do sanguíneo, do que nas outras. A razão é simples: tudo o que o sanguíneo fizer, de bom ou de mau, se evidencia. Os outros temperamentos, menos voláteis, são também menos notáveis. Às vezes uma conduta inadequada não é reconhecida como tal por não ser extremista. Deus, porém, vê o coração. A mudança do nome de Pedro, feita pelo Mestre transformador dos homens, é excelente exemplo daquilo que ele quer fazer por todo ser humano. O homem controlado pelo Espírito não deixará jamais de ser "ele mesmo". Veremos que a mudança na vida de Pedro não eliminou sua personalidade, e sim a modificou. Depois da plenitude do Espírito, Simão, o sanguíneo, não mais demonstra falta de domínio próprio. Pelo contrário, Pedro passa a ser comedido em seus atos. As características de dinamismo, amabilidade e magnetismo de Pedro continuam evidentes, mas os defeitos são modificados pela força das boas qualidades, e Deus é glorificado nessa transformação.

Pedro cheio do Espírito

Em uma de suas promessas aos discípulos, o Senhor disse: "Mas receberão poder quando o Espírito Santo descer sobre vocês...". Geralmente pensamos nesse poder com relação ao testemunho, e sem dúvida significa que teremos poder para testemunhar, mas não é só isso. O poder do Espírito Santo na vida do apóstolo sanguíneo foi claramente uma influência benéfica. Esse poder, à disposição de todo crente hoje, modificou de tal forma a Pedro, que seus defeitos ficaram obscurecidos e suas qualidades foram realçadas. Ao estudarmos esse homem controlado pelo Espírito Santo no livro de Atos, tenhamos em mente que Deus não faz acepção de pessoas. O que fez pelo apóstolo, ele o fará por você também — desde que você esteja disposto a cooperar com o Espírito Santo, permitindo que seu poder o fortaleça nas fraquezas.

Vemos o primeiro sinal de transformação em Atos 1:15, antes mesmo do dia de Pentecostes. "Naqueles dias Pedro levantou-se entre os irmãos", quando estavam juntos aguardando a vinda do Espírito Santo, e realizou sua primeira pregação de que temos notícia. Aparentemente é um sermão sobre a morte de Judas Iscariotes. Analisando a mensagem, não se nota nenhuma exaltação, mas sim um discurso cheio do Espírito, baseado na Palavra de Deus, e oferecendo uma solução prática para o lugar deixado vago por Judas, o traidor. Pedro propôs uma maneira inteligente de fazer a escolha: "... dos homens que estiveram conosco durante todo o tempo em que o Senhor Jesus viveu entre nós, desde o batismo de João até o dia em que Jesus foi levado dentre nós às alturas. É preciso que um deles seja conosco testemunha de sua ressurreição" (At 1:21-22). Em outras palavras, o duodécimo apóstolo deveria ter estado com os outros durante todo o ministério de Jesus. Então Pedro orou pedindo sabedoria a Deus. Selecionaram dois candidatos e confiaram no Espírito Santo para escolher o melhor pelo lançamento de sortes. Essas questões não são mais decididas pela sorte, porque desde o Pentecostes temos o Espírito Santo habitando em nós e guiando-nos nas decisões; mas, antes daquele dia, a ação de Pedro foi recomendável e de acordo com a prática do Antigo Testamento.

No dia de Pentecostes temos mais uma amostra da transformação ocorrida no apóstolo sanguíneo. Quando o Espírito Santo desceu sobre eles, os homens falaram as línguas dos estrangeiros visitantes de Jerusalém, de maneira que todos puderam ouvir a mensagem de Deus "em sua própria língua". Os habitantes de Jerusalém, que não podiam compreender aqueles idiomas, começaram a zombar dos discípulos e acharam que estivessem "embriagados".

Foi um Pedro controlado pelo Espírito que se levantou "com os onze e, em alta voz, dirigiu-se à multidão: Homens da Judeia e todos os que vivem em Jerusalém, deixem-me explicar-lhes isto! Ouçam com atenção", e pregou o primeiro sermão evangélico da era da Igreja. Esse sermão é uma obra-prima que não pode ser explicada pelos três anos em que andou na companhia de Jesus Cristo. Quem pregava era um pescador iletrado, não um intelectual; raramente os sanguíneos o são. Esse sermão foi uma mensagem de Deus, sendo Pedro seu instrumento, e é um exemplo claro de como Deus quer usar os homens hoje. Como o leitor bem sabe, se já estudou Atos 2, o resultado foi que "naquele dia houve um acréscimo de cerca de três mil pessoas. Eles se dedicavam ao ensino dos apóstolos e à comunhão". Simão, o sanguíneo, foi transformado em Pedro, o sanguíneo controlado pelo Espírito Santo — grande pregador do Evangelho.

Esse temperamento geralmente produz ótimos oradores, mas somente quando controlados pelo Espírito é que eles se tornam bons pregadores. Para esses homens há, porém, um fator perigoso que lhes é inato: têm facilidade de falar e tornar qualquer coisa interessante aos ouvidos, tenham ou não algo importante a dizer. Mas, se controlados pelo Espírito Santo, podem ser de influência tremenda para o reino de Deus.

Não é muito difícil saber se o sanguíneo está falando pelo Espírito ou "na carne". Sob a influência de seu temperamento, ele enfatizará o "eu" e a mensagem lembrará aos ouvintes do que disse Shakespeare: "Palavras, Desdêmona, palavras!". Como Pedro no dia de Pentecostes, sob a influência controladora do Espírito Santo, o sanguíneo glorificará a Jesus Cristo. O pastor com essa índole, se controlado pelo Espírito Santo, vencerá a tentação de desperdiçar inutilmente suas energias, e se disciplinará no estudo da Palavra com o fim de transmitir uma mensagem da parte de Deus em vez de uma palestra improvisada e carismática. Os ouvintes espiritualmente argutos notarão a diferença.

A constância de Pedro

Em Atos 3, temos a garantia de que o poder de Pedro no dia de Pentecostes não fora um repente emocional, nem uma efêmera confiança em Deus. Apesar de ser a única forma de eliminar sua inconstância, a disciplina espiritual é muito difícil para o sanguíneo. Ainda assim vemos Pedro e João indo juntos "ao templo na hora da oração". João, o melancólico, naturalmente faria a coisa certa: iria à casa de oração na hora designada. Mas uma reunião de oração só é atraente para o sanguíneo quando controlado pelo Espírito Santo.

Vemos nesse relato outra característica do Espírito. O cristão que entrega a vida ao controle do Espírito Santo não fica tenso nem temeroso. Um dos frutos desse controle é a "paz". De maneira prática, isso significa que nos tornaremos flexíveis e estaremos dispostos a fazer aquilo que o Espírito Santo desejar de nós. Pedro e João foram ao templo para orar, descansando no Espírito, mas quando viram o coxo mendigando à porta, foram movidos de compaixão e mudaram completamente de planos. Nem chegaram a orar no templo, pois...

> Pedro e João olharam bem para ele e, então, Pedro disse: "Olhe para nós!". O homem olhou para eles com atenção, esperando receber deles alguma coisa. Disse Pedro: "Não tenho prata nem ouro, mas o que tenho, isso lhe dou. Em nome de Jesus Cristo, o Nazareno, ande". Segurando-o pela mão direita, ajudou-o a levantar-se, e imediatamente os pés e os tornozelos do homem ficaram firmes.
>
> Atos 3:1-7

O que está faltando nessa história? Se olharmos cuidadosamente, notaremos a ausência de Simão, o sanguíneo. Pedro, controlado pelo Espírito, não procura por nada glorificar-se a si mesmo, mas dá toda a honra ao Senhor Jesus Cristo na cura desse homem. Esse parece ser um marco na vida do apóstolo. Conduzido pelo Espírito, ele aproveita a oportunidade resultante da multidão curiosa que se reúne para ver o homem curado, a saltar e pular de alegria, e prega um sermão maravilhoso, de profundidade e conhecimento fora do comum. Os resultados demonstram a participação do Espírito Santo: "Muitos dos que tinham ouvido a mensagem creram, chegando o número dos homens que creram perto de cinco mil" (At 4:4).

A coragem de Pedro

A notícia de que milhares de pessoas que clamaram pela morte de Jesus Cristo algumas semanas antes agora se arrependiam de seus pecados e confessavam abertamente a ele como Senhor e Salvador não foi bem aceita pelas autoridades judaicas. Os principais sacerdotes chamaram os apóstolos para um interrogatório. Foi Pedro, controlado pelo Espírito, que respondeu às acusações, dando toda a glória a Jesus Cristo. As Escrituras nos dizem que "vendo a coragem de Pedro e de João, e percebendo que eram homens comuns e sem instrução, ficaram admirados e reconheceram que eles haviam estado com Jesus" (At 4:13).

Pouco tempo antes, Pedro negara covardemente três vezes a seu Senhor. Agora, sob pressão ainda maior, ousadamente foi fiel a Jesus Cristo. Suas palavras não demonstram exibicionismo por parte de um sanguíneo, mas sim uma rendição destemida a um homem condenado. O que provocou a diferença nas reações do mesmo Pedro vivendo sob pressão? Atos 4:8 explica claramente: "Então Pedro, cheio do Espírito Santo, disse-lhes...". Pedro não procurou ganhar em intrepidez sob pressão; descansou, e foi então impelido pelo Espírito Santo. Essa deve ser sempre a atitude do cristão em face de uma oportunidade de testemunhar.

Um universitário certa vez me perguntou: "Por que sempre fico tenso e nervoso quando vou dar meu testemunho como crente a alguém na faculdade?". Expliquei que essa experiência comum ocorre quando estamos dependendo de nossos próprios dons e nossa perícia, mesmo que o façamos com interesse sincero. A melhor maneira de testemunhar nossa fé é por meio de uma entrega pessoal ao Espírito Santo.

Se você estiver em um elevador com uma pessoa que precise ouvir a respeito de Cristo, não lhe cabe forçar a conversa. Sua responsabilidade é tornar seus lábios disponíveis ao Espírito Santo. Antigamente, eu lutava usando lugares comuns que me introduzissem ao assunto, mas com pouquíssimo sucesso. As conversões mais maravilhosas que tenho visto resultaram de uma oração simples feita na presença de um pecador: "Senhor, aqui estão os meus lábios; se quiseres usá-los para compartilhar Cristo com esta pessoa, estou disposto". Eu me relaxaria e, se me encontrasse conversando e passássemos a falar sobre coisas espirituais, como acontece com frequência, confiaria em que o Espírito Santo estava testemunhando. Se a conversa não abordasse questões espirituais, embora eu estivesse disposto, ficava igualmente confiante de que estava sendo guiado pelo Espírito Santo. Nem sempre sei o que está na mente do Espírito, nem o que ele faz de minha vida, nem sou responsável pelo que pratica. Sou responsável, da mesma forma que Pedro, por ficar a sua disposição; e você, leitor, também o é. Esse tipo de testemunho é mais eficiente porque permite que o Espírito Santo controle a situação. Se é necessário haver pressão, lance-a sobre o Espírito Santo, entregando-se totalmente a ele. *Ele* aguenta a pressão — você não!

O exemplo mais notável extraído de minha vida quanto ao Espírito Santo usar meus lábios ocorreu em uma aeronave 707 entre Chicago e San Diego. Exausto, após uma semana de conferências, subi ao jato com a esperança de dormir a viagem toda. O avião estava lotado e dei com os olhos em um homem que me reconheceu vagamente. Ele me convidou para sentar a seu lado e, de repente, empalideceu, pois lembrou que eu era o pastor que orara em público numa reunião, cerca de um ano antes. Lembrasse antes, jamais me chamaria para sentar a seu lado.

Ele era um engenheiro aeronauta, comandante de um esquadrão da Força Aérea, que já havia passado por muitas situações perigosas, e estava voltando de uma viagem de inspeção que durara dez dias. Mais tarde, fiquei sabendo que falar com um pastor era a última coisa que ele desejaria fazer naquele momento, mas corajosamente e com bastante polidez, tentava salvar a situação da melhor forma possível. Durante a primeira das quatro horas de voo, conversamos sobre política, um de meus poucos passatempos seculares. A conversa estava tão longe de qualquer assunto espiritual que eu, mentalmente, orei: "Senhor, sei que me fizeste encontrar este homem por alguma razão, mas não tenho a mínima ideia de como levar a conversa para assuntos espirituais. Eis aqui meus lábios. Estou a tua disposição; faze a tua vontade".

Após cinco minutos o homem mudou de assunto e disse: "Olhe, você que é teólogo, será que pode me responder a uma pergunta? Meu cunhado vive falando comigo sobre religião, mas não consigo entendê-lo. Você pode me explicar o que significa nascer de novo?". Em mais de 25 anos falando com pessoas sobre Jesus Cristo, jamais tive uma oportunidade melhor, e ela veio exclusivamente pelo poder do Espírito Santo. Muito antes de chegarmos a San Diego, este veterano aviador, em determinado momento, baixou a cabeça e orou, pedindo ao Senhor Jesus que entrasse em sua vida. O Espírito Santo não está procurando pessoas espertas, mas pessoas dóceis a sua orientação.

A sabedoria de Pedro

A maioria das pessoas não pensa com clareza quando sob pressão. Geralmente, nossas melhores respostas vêm depois, muito depois da discussão. Mas, não foi esse o caso de Pedro, o sanguíneo, quando controlado pelo Espírito Santo. Interrogado e pressionado pelas autoridades religiosas, a quem sempre respeitara, ele tinha a mente clara como o som de um sino. As autoridades mandaram que Pedro e João "não falassem nem ensinassem em nome de Jesus". Os dois homens não vacilaram nem gaguejaram perante aqueles ilustres líderes, nem Pedro disse nada que prejudicasse seu testemunho. Disse-lhes: "Julguem os senhores mesmos se é justo aos olhos de Deus obedecer aos senhores e não a Deus. Pois não podemos deixar de falar do que vimos e ouvimos" (At 4:19-20). Essa sabedoria, esse controle das emoções, é estranho, não só para Pedro, como para qualquer sanguíneo. Os discípulos deixaram seus opressores, fizeram uma reunião de oração, e não cessaram de anunciar "corajosamente a Palavra de Deus" (At 4:31).

Mais evidências da percepção divina concedida a Pedro, líder da igreja primitiva, podem ser notadas na maneira singular com que ele cuidou do caso de Ananias e Safira em Atos 5. Não houve animosidade nem amargura na atitude com que os tratou, mas esses dois, que tinham defraudado o Espírito perante a congregação, foram expostos e mortos como exemplo para a Igreja nascente. A situação toda foi encarada de forma moderada, completamente estranha para Simão, o sanguíneo, mas, para Pedro, o sanguíneo controlado pelo Espírito Santo, era uma experiência comum.

Outro exemplo de sabedoria inspirada pelo Espírito ocorreu quando Pedro, perante o Sinédrio, foi repreendido pelo sumo sacerdote: "Nos querem tornar culpados do sangue desse homem". Pedro não se enfureceu, como seria de se esperar, mas, sob o controle do Espírito, respondeu com sabedoria: "É preciso obedecer antes a Deus do que aos homens" (At 5:29).

Mesmo quando pressionado pelos homens a praticar algum erro, o cristão controlado pelo Espírito não precisa ficar agitado, ressentido ou amargurado. Sempre lhe será possível agir corretamente e, assim, não entristecer o Espírito. Os sanguíneos devem lembrar-se disso no que tange à ira motivada por reações carnais. A graça de Deus nos é suficiente; assim, em quaisquer circunstâncias, você nunca terá que "explodir" ou estragar seu testemunho por causa da conduta hostil de outrem. Sua vitória não depende do comportamento alheio! Humanamente falando, pode ser que tenha razões de sobra para se zangar, mas os recursos divinos o capacitam a responder de modo pacífico. O segredo está em reconhecer que você começa a afundar no momento em que admite: "Ele não tem o direito de fazer isto comigo". Jamais responda conforme a desfeita recebida, mas de acordo com o Espírito.

Mesmo quando um sanguíneo age controlado pelo Espírito, será entusiasta e extrovertido. Deus o criou assim. Por isso mesmo sua reação impetuosa é às vezes interpretada erroneamente, como uma agressão. Ele terá de ser vigilante neste ponto, especialmente quando junto a pessoas não crentes, porque elas sempre esperam do cristão que seja calmo e sereno.

A alegria de Pedro

A alegria é uma tendência natural desse temperamento. Em geral, quem possui essa índole não só tem prazer naquilo que faz, como consegue que as pessoas que o cercam sintam a alegria de viver. Ele, porém, se ofende com facilidade, transformando seu prazer em resmungos ou reclamações sobre como é tratado, ou como as coisas acontecem. Isso produz um período de depressão que geralmente se dissipa tão logo apareça o primeiro objeto externo a sua frente.

A reação de Pedro por ter apanhado severamente dos oficiais do Sinédrio foi inteiramente contrária à que esperaríamos de um sanguíneo. Lemos em Atos 5:41: "Os apóstolos saíram do Sinédrio, alegres por terem sido considerados dignos de serem humilhados por causa do Nome". Essa reação evidencia o controle do Espírito Santo. Em Efésios 5 vemos que uma das primeiras características da vida cheia do Espírito Santo é um coração alegre e feliz. Foi por isso que Pedro saiu "alegre" em vez de reclamando. Qualquer cristão que tencione andar no Espírito examinará a linguagem. Quando estiver brigando, criticando, reclamando, ou usando qualquer outra forma verbal queixosa, é evidente que não está se deixando controlar pelo Espírito. O Espírito Santo nos dá uma inclinação espontânea para o regozijo, cumprindo assim "a vontade de Deus para vocês em Cristo Jesus" (1Ts 5:18).

A humildade de Pedro

A humildade não é realmente uma característica do sanguíneo. Suas tendências egoísticas naturais o induzem a buscar a glória. Por essa razão, é raro ele fazer alguma coisa às escondidas apenas com o intuito de ajudar as pessoas; ele faz com o máximo de fanfarronice e encenação, com o fito de granjear para si todo o reconhecimento possível. Mas esse não é o caso de Pedro depois de controlado pelo Espírito. Temos em Atos 9:36-42 uma excelente ilustração disso: Dorcas, uma mulher "que se dedicava a praticar boas obras e dar esmolas", ficou doente e morreu. Como Pedro estivesse em Jope, cidade em que ela morava, os líderes da igreja pediram que fosse até ali. A conduta de Pedro mostra-nos o quanto o Espírito Santo modifica um egoísta sanguíneo:

> Pedro foi com eles e, quando chegou, foi levado para o quarto do andar superior. Todas as viúvas o rodearam, chorando e mostrando-lhe os vestidos e outras roupas que Dorcas tinha feito quando ainda estava com elas. Pedro mandou que todos saíssem do quarto; depois, ajoelhou-se e orou. Voltando-se para a mulher morta, disse: Tabita, levante-se. Ela abriu os olhos e, vendo Pedro, sentou-se. Tomando-a pela mão, ajudou-a a pôr-se em pé. Então, chamando os santos e as viúvas, apresentou-a viva. Esse fato se tornou conhecido em toda a cidade de Jope, e muitos creram no Senhor.
>
> Atos 9:39-42

O que poderia trazer mais glória à reputação de alguém do que ressuscitar um morto? Pedro, porém, insistiu que todos saíssem do quarto para que ninguém observasse o que fazia. Quis o isolamento, que deu toda glória exclusivamente a Deus. Tal conduta é tão estranha a um homem do temperamento natural de Pedro, que só pode ter sido obra do Espírito Santo.

O ESPÍRITO DE ORAÇÃO DE PEDRO

Uma dificuldade constante encontrada pela maioria dos cristãos sanguíneos é a falta de perseverança em seus hábitos de meditação. De natureza irrequieta, é muito fácil para eles se envolverem em toda sorte de "atividades para o Senhor", sem dedicar tempo a ele pessoalmente, na leitura de sua Palavra e na oração. Por si mesmos, muitos desses cristãos são um tanto vazios e tendem à carnalidade em suas decisões, mas o tempo gasto diariamente no estudo bíblico e na oração parece lhes causar forte impacto.

Atos 10 nos revela uma experiência singular na vida de Pedro, quando já controlado pelo Espírito. Mal sabia ele, quando subiu ao eirado para orar, que isso o levaria ao segundo uso das "chaves do reino", a saber: a abertura do céu para os gentios por meio do Evangelho. Enquanto orava, teve a visão dum lençol que descia do céu, e, nesse pano, toda espécie de animais, os quais ele recebeu instruções para "matar e comer". O versículo 19 diz: "Enquanto Pedro ainda estava pensando na visão, o Espírito lhe disse...". Muitos cristãos sanguíneos não têm a orientação do Espírito porque sua incessante atividade os impede de falar com o Senhor e de escutá-lo.

O AMOR DE PEDRO

Essa mesma história mostra-nos outra modificação feita pelo Espírito Santo na vida de Pedro. É uma tendência do temperamento assumir opiniões precipitadamente e alimentar preconceitos. Quase não se precisa adivinhar a extensão de sua intolerância, porque eles são capazes de dizê-lo de forma inadvertida. Sempre que podem, os sanguíneos agarram avidamente a chance de expor essas opiniões. Uma vez que assumem uma posição, tendem a recusar toda e qualquer evidência contrária, sendo difícil fazê-los mudar de ideia. Antes de Pentecostes, Pedro revelava abundantemente tais características, mas, sob controle do Espírito Santo, era diferente. Como bom israelita, ele tinha um antagonismo arraigado em relação a todos os gentios e, de forma especial, tinha ojeriza por soldados romanos. Agora o Espírito o instruía para que fosse até Cornélio, centurião romano, e lhe pregasse o Evangelho. A reação de Pedro foi obedecer imediatamente (v. 21).

Cornélio, tocado pelo Espírito Santo, deu as boas-vindas a Pedro e "prostrou-se aos seus pés, adorando-o. Mas Pedro o fez levantar-se, dizendo: Levante-se, eu sou homem como você" (v. 25-26). Essa reação de humildade por parte de Pedro testifica novamente a influência controladora do Espírito Santo.

Mesmo antes de conhecer a natureza da tarefa, ou da profunda mudança que Deus operara, Pedro revelou sua preocupação objetiva pelos gentios estrangeiros. Ele disse:

> Vocês sabem muito bem que é contra a nossa lei um judeu associar-se a um gentio ou mesmo visitá-lo. Mas Deus me mostrou que eu não deveria chamar impuro ou imundo a homem nenhum. Por isso, quando fui procurado, vim sem qualquer objeção. Posso perguntar por que vocês me mandaram buscar?
>
> Atos 10:28-29

Essa história mostra que não apenas a boca de Pedro foi santificada, mas toda sua atitude e motivação. Ele resolveu colocar-se completamente à disposição do Deus vivente. A chave da mudança de temperamento está no versículo 28: "[...] *mas Deus*". Essas duas palavras garantem auxílio a qualquer sanguíneo indisciplinado, teimoso, egoísta e influenciável. Deus, o Espírito Santo, provê uma qualidade para compensar cada fraqueza humana.

Sob o controle do Espírito Santo, Pedro pregou uma mensagem cheia do Espírito, e assim ofereceu a salvação àqueles gentios. A resposta foi eletrizante: "O Espírito Santo desceu sobre todos os que ouviam a mensagem" (v. 44). Apesar do espanto dos judeus que acompanhavam a Pedro, ele conduziu os novos convertidos ao batismo de água: "Então ordenou que fossem batizados em nome de Jesus Cristo" (v. 48).

A amabilidade de Pedro

A tendência característica do sanguíneo de ser rude e impaciente como a um "touro em loja de louças", segundo o provérbio, desapareceu de Pedro. Estava de tal forma controlado pelo Espírito Santo, que nele só encontramos graça e moderação. Quando voltou a Jerusalém, os que eram dos circuncisos disputaram com ele. Cristãos tipicamente carnais, eles não puderam ver a colheita de almas acima de suas críticas tendenciosas. Em vez da reação normal e sanguínea de Simão, que seria de ralhar, severo, com eles, "Pedro começou a explicar-lhes exatamente como tudo havia acontecido" (At 11:4). E expôs-lhes os fatos com todos os detalhes.

Em razão de sua explanação gentil e controlada pelo Espírito, os judeus-cristãos reagiram bem a essa primeira colheita de estrangeiros gentios, pois as Escrituras dizem que: "Ouvindo isso, não apresentaram mais objeções e louvaram a Deus, dizendo: Então, Deus concedeu arrependimento para a vida até mesmo aos gentios" (v. 18). Simão, o sanguíneo, nada conhecia do princípio de que a graça e a amabilidade desviam as críticas iradas, mas o Espírito Santo conhecia. Em vez de provocar contenda e divisão, Pedro uniu mais as pessoas. Não podemos deixar de nos perguntar se muitos dos vergonhosos conflitos dos últimos séculos da história da Igreja poderiam ter sido evitados, se os líderes tivessem enfrentado as críticas sob a influência controladora do Espírito Santo. Esse desafio, é claro, não se limita aos indivíduos de temperamento sanguíneo.

Pedro — homem de fé

Uma das nove características da vida preenchida pelo Espírito, conforme Gálatas 5:22-23, é a fé. Como já verificamos, o sanguíneo têm inclinação para o medo. Isso se nota especialmente quando precisa tomar decisões sozinho. Em Atos 12, vemos o apóstolo Pedro em outra situação. O rei Herodes aprisionara alguns da igreja com o intuito de maltratá-los. Pedro, sozinho na cadeia, foi chamado por Herodes (12:6). Em lugar de se preocupar com sua prisão ou com o perigo de vida, dormia pacificamente quando o anjo do Senhor surgiu para libertá-lo. Dormir nessas condições só podia significar que Pedro estava tranquilo, sem temor, entregue aos cuidados de seu Pai Celestial.

A paciência de Pedro

Os sanguíneos têm tal tendência ao sarcasmo que chegam a ferir emocionalmente os amigos. Em meu trabalho de aconselhamento cheguei à conclusão de que a maioria das pessoas tem muitos pensamentos cínicos, mas não os deixa transparecer. Não é o caso do sanguíneo, que diz quase tudo que lhe vem à cabeça.

Depois de ser miraculosamente liberto pelo anjo, Pedro...

> [...] se dirigiu à casa de Maria, mãe de João, [...] onde muita gente se havia reunido e estava orando. Pedro bateu à porta do alpendre, e uma serva chamada Rode veio atender. Ao reconhecer a voz de Pedro, tomada de alegria, ela correu de volta, sem

> abrir a porta, e exclamou: "Pedro está à porta!" Eles porém lhe disseram: "Você está fora de si!" Insistindo ela em afirmar que era Pedro, disseram-lhe: "Deve ser o anjo dele".
>
> Atos 12:12-15

O que o sempre impaciente Pedro fazia à porta, enquanto os incrédulos "guerreiros da oração" duvidavam das respostas às próprias orações? Pacientemente, Pedro "continuava batendo".

Pedro não os cumprimentou com o sarcasmo que seria esperado de um sanguíneo, mas "fazendo-lhes sinal para que se calassem, descreveu como o Senhor o havia tirado da prisão" (v. 17). Nunca houve oportunidade maior para um líder da igreja ridicularizar seus amigos. Mas Pedro estava mais preocupado com o fortalecimento espiritual daquelas pessoas e com a graça de Deus do que em menosprezar a fraqueza alheia. O capítulo 12 demonstra vivamente a obra do Espírito Santo em um temperamento sanguíneo.

A liderança de Pedro

A inspirada liderança do apóstolo sanguíneo torna-se evidente em Atos 15, num momento importantíssimo da história da Igreja primitiva. Paulo e Barnabé haviam acabado de voltar de sua primeira viagem missionária entre os gentios. A reação dos cristãos legalistas foi amarga e criou "grande contenda e discussão com eles". Paulo e Barnabé se apresentaram perante os presbíteros e "relataram tudo o que Deus tinha feito por meio deles": "[...] alguns homens desceram da Judeia para Antioquia e passaram a ensinar aos irmãos: Se vocês não forem circuncidados conforme o costume ensinado por Moisés, não poderão ser salvos" (v. 1). "Depois de muita discussão, Pedro levantou-se e dirigiu-se a eles..." (v. 7). A palestra de Pedro diante das circunstâncias hostis foi usada pelo Espírito Santo para restaurar a unidade da igreja primitiva. Lemos que quando terminou, "toda a assembleia ficou em silêncio, enquanto ouvia Barnabé e Paulo falando de todos os sinais e maravilhas que, por meio deles, Deus fizera entre os gentios" (v. 12).

Uma das dificuldades da maioria dos sanguíneos em permanecer durante muito tempo na liderança é sua imaturidade. A objetividade já lhes é custosa, e no calor da luta, então, ficam de tal forma envolvidos que, em vez de agirem como o óleo sobre a água, transformam-se, eles mesmos, em fonte de irritação. Isso geralmente limita o efeito de sua liderança. Porém, tais tendências naturais não constam nesse relato do comportamento de Pedro. A única explicação reside no fato de que ele estava sendo controlado pelo Espírito Santo.

O apóstolo Paulo em Gálatas 2:8 prova que Pedro foi um líder eficiente nos primeiros dias da igreja. Paulo era um intelectual de aprimorada educação, mas nestas palavras prestou grande tributo à capacidade de liderança de seu amigo sanguíneo. Suas palavras: "Pois Deus, que operou por meio de Pedro como apóstolo aos circuncisos...", oferecem-nos o testemunho valioso de um contemporâneo quanto aos resultados miraculosos da transformação operada pelo Espírito no temperamento de Pedro.

A falha de Pedro

Seria um erro pensar que, depois de Pentecostes, Pedro tivesse estado sempre sob controle do Espírito Santo. Certos cristãos idealistas estabelecem padrões tão irreais que é impossível mantê-los. Desanimados, alguns deixam então de trilhar o caminho do Espírito. Como veremos, o Novo Testamento indica que Pedro nem sempre agiu controlado pelo Espírito depois do dia de Pentecostes.

Deus está interessado em todas as nossas experiências e ordena que andemos em santidade, mas não pretende castigar-nos a cada falha. Na Bíblia, o rei Davi foi conhecido como "o homem segundo o coração de Deus" não porque fosse perfeito, mas porque se arrependeu depois de pecar e voltou-se contrito para Deus, a fim de ser perdoado e restaurado a sua graça. Deus não deixou de abençoar o rei após seus grandes pecados, mas enviou convicção por intermédio do profeta Natã e recebeu Davi de volta à comunhão. Até mesmo Elias sentiu-se certa vez tão deprimido que pediu a Deus para deixá-lo morrer. O Senhor perdoou ao grande profeta e usou-o de forma magnífica depois disso. O cristão não consegue escapar dos impulsos da carne, por isso Gálatas 5:16 insiste conosco: "Vivam pelo Espírito, e de modo nenhum satisfarão os desejos da carne". Esse desafio não foi lançado aos incrédulos, mas aos crentes. Em vez de ficarmos deprimidos por causa de nossos pecados, permitindo que a carnalidade nos avilte, devemos, se pecarmos, recorrer imediatamente à confissão, conforme 1João 1:9, e assim desfrutar o perdão e o esquecimento de nossos pecados por parte de Deus.

Pedro voltou a ser Simão, o sanguíneo, e o apóstolo Paulo relata em Gálatas 2 como isso se deu. Parece-nos que quando Pedro esteve com Paulo em Antioquia, "antes de chegarem alguns da parte de Tiago, ele comia com os gentios", porque a igreja tinha muitos convertidos gentios. Mas, "quando, porém, eles chegaram, afastou-se e separou-se dos gentios, temendo os que eram da circuncisão". O apóstolo Paulo diz que nisso "não estavam andando de acordo com a verdade do Evangelho" (Gl 2:14). De alguma forma Pedro reverteu-se em Simão, o sanguíneo, devido ao "medo". O medo dos homens é uma característica bastante sanguínea. Pedro não queria desagradar a seus amigos, separou-se, portanto, dos irmãos gentios, e isso com certeza os ofendeu. Não que Deus tenha deixado de usar a vida de Pedro, pois suas duas epístolas foram escritas muito tempo depois. Sugere, porém, que mesmo cristãos amadurecidos e repletos do Espírito precisam examinar-se sempre para que também eles não andem momentaneamente na carne.

A maturidade de Pedro

A maturidade espiritual de Pedro é comprovada em muitas ocasiões posteriores a essa. Mas talvez a ocasião mais destacada seja a mansidão por ele demonstrada quando o apóstolo resistiu-lhe "face a face" (Gl 2:11). Em vez de se ressentir da repreensão de Paulo, demonstrou uma apreciação repleta de amor. Em sua segunda epístola, escrita já no final da vida, encontramos este tributo caloroso ao apóstolo Paulo, vindo da pena de um Pedro sanguíneo: "Tenham em mente que a paciência de nosso Senhor significa salvação, como também o nosso amado irmão Paulo lhes escreveu, com a sabedoria que Deus lhe deu" (2Pe 3:15). Pedro recomenda ainda a leitura das epístolas de Paulo, e no versículo 16 as equipara às Escrituras do Antigo Testamento. Este é provavelmente o maior tributo que um judeu-cristão poderia render a outro — reconhecer a obra de Deus na vida de Paulo, tanto quanto na vida de Moisés, Davi, Daniel e Samuel.

A transformação do apóstolo sanguíneo demonstra que Deus pode lhe tornar o tipo de pessoa que ele quer que você seja. Mostra-nos também que para toda e qualquer tendência à fraqueza, mesmo aquelas cuja intensidade tenha sido aumentada pelo hábito, existe uma cura. Deus, o Espírito Santo, possui uma força para cada uma das falhas do sanguíneo. Este, como todos os outros cristãos, precisa continuamente dar ouvidos à admoestação: "Deixem-se encher pelo Espírito" (Ef 5:18).

5

Paulo, o colérico

O personagem bíblico que melhor ilustra o temperamento colérico é o apóstolo Paulo. Ele é, também, o melhor exemplo desse temperamento quando transformado. Paulo é de fato excelente modelo da maneira como o Espírito Santo modifica uma pessoa de vontade férrea, após sua conversão. Poucas de suas atividades anteriores à conversão são reveladas nas Escrituras, e mais de 95% das experiências de que temos conhecimento ocorrem após ter ele recebido a plenitude do Espírito Santo. No entanto, esse homem caminha pelas páginas de Atos com os passos pesados do colérico. Um colérico transformado, sim, um colérico controlado pelo Espírito, sim, mas, a cada passo, sempre um colérico. Antes de entrar em um estudo detalhado da vida desse apóstolo, examinemos as características da pessoa com esse tipo de personalidade.

O colérico é um ativista prático. Para quem tudo na vida é utilitário. É um líder natural, obstinado e muito otimista. Seu cérebro está sempre fervilhando de ideias, projetos ou objetivos, que geralmente são realizados. Como o sanguíneo, o colérico é extrovertido, mas não tão intensamente. Embora tenha uma vida altamente produtiva, traz em si algumas fraquezas naturais bastante sérias. É autossuficiente, impetuoso, genioso e tem uma tendência à aspereza e até mesmo à crueldade. Ninguém é tão mordaz e sarcástico quanto o colérico. Esse temperamento produz bons diretores de empresas, generais, construtores, soldados voluntários, políticos ou administradores, mas geralmente os torna incapazes de executar trabalhos minuciosos e precisos.

Saulo de Tarso não possuía apenas o temperamento tipicamente colérico, mas também uma aprimorada educação e muita religiosidade. Não deveria, portanto, nos surpreender o fato de, à primeira vez em que ele surge no cenário bíblico, estar participando do apedrejamento de Estêvão, primeiro mártir cristão de que temos notícia.

Depois do magnífico sermão proferido por Estêvão, o diácono cheio do Espírito Santo, os líderes religiosos hostis atacaram-no: "Ouvindo isso, ficaram furiosos e rangeram os dentes contra ele" (At 7:54).

Quando Estêvão revelou-lhes sua visão dos céus e do Senhor Jesus sentado à destra do trono de Deus, a Bíblia nos diz que "eles taparam os ouvidos e, dando fortes gritos, lançaram-se todos juntos contra ele, arrastaram-no para fora da cidade e começaram a apedrejá-lo. As testemunhas deixaram seus mantos aos pés de um jovem chamado Saulo" (At 7:57-58). Alguns comentaristas sugerem que o fato de colocar as roupas aos pés de Saulo indicaria ser ele o líder do grupo. Outros estudiosos sugerem que ele era membro do Sinédrio, o conselho seleto de setenta anciãos de Israel. Era uma honra e um alto privilégio pertencer a esse conselho e, especialmente para um jovem, era algo fora do comum. Essa ideia é inferida de Atos 26:10, quando o apóstolo reconhece que em sua mocidade testemunhara contra os cristãos de Jerusalém perante os principais sacerdotes. Saulo votara que os mesmos fossem "condenados à morte". De qualquer forma, Atos 8:1 demonstra que "Saulo estava ali, consentindo na morte de Estêvão".

Cruel

A partir dessa primeira agressão, Saulo continuou seu caminho implacável e cruel, tão característico do colérico. Na maioria dos ditadores e criminosos deste mundo esse tem sido o temperamento predominante. Mostrar compaixão é uma das coisas mais difíceis de aprender para o cristão com essas características. Ele é geralmente rude, sarcástico e tem a língua muito ferina.

Em uma exposição, dois casais resolveram permitir que suas caligrafias fossem analisadas por um computador, e o colérico do grupo foi o primeiro a se oferecer. Sua esposa e os amigos de mais de vinte anos de convivência caíram na risada quando leram no cartão: "Você tem uma tendência muito forte para a rudeza e o sarcasmo". As risadas espontâneas revelaram que o computador tinha acertado. Em geral é fácil saber quando um colérico está cheio do Espírito Santo, porque sua linguagem estará temperada de graça e bondade motivada pelo Espírito, em vez de apresentar comentários cortantes ou mordazes. Isso também se aplica a seus atos.

Saulo, o colérico, marcha cruelmente por meio dos primeiros capítulos de Atos, liderando a "grande perseguição contra a igreja em Jerusalém". Seu ódio pelos cristãos e a tentativa implacável de destruí-los eram aparentemente inspirados pela religião. A história demonstra que muitos coléricos perpetuam atos desumanos em nome da religião. Alguns usaram até mesmo o cristianismo como capa que "santificasse" sua ira e justificasse seus atos odiosos.

A Bíblia descreve Saulo "ainda respirando ameaças e morte contra os discípulos do Senhor". A maioria dos coléricos tem forte tendência à astúcia e à ardileza quando motivados pelo ódio ou pela intolerância. Saulo, motivado por essa tendência, "dirigindo-se ao sumo sacerdote, pediu-lhe cartas para as sinagogas de Damasco, de maneira que, caso encontrasse ali homens ou mulheres que pertencessem ao Caminho,[1] pudesse levá-los presos para Jerusalém" (At 9:1-2). Com esses documentos das autoridades em mãos, Saulo tornou-se um vigilante ameaçador, com poder de vida e morte sobre os "inimigos do povo". Certo homem que vivia em Damasco na época, Ananias, reconheceu saber quanto mal Saulo fizera. Em razão dessa brutalidade anterior, hesitou a princípio em acreditar na mensagem do Espírito Santo de que aquele poderoso inimigo tivesse se convertido.

Isso é quase tudo o que sabemos das atividades pré-cristãs de Saulo, mas já é o suficiente para estabelecer seu temperamento natural como colérico. Sem dúvida havia um temperamento secundário, como em todas as pessoas. Às vezes é difícil determinar o segundo temperamento, como dissemos no Capítulo 3, mas no caso de Paulo era, provavelmente, o melancólico. Isso deduzimos de seus dotes mentais brilhantes, refletidos por seus escritos. Mas, contrários aos de muitos teólogos melancólicos que o seguiram, os registros de Paulo eram práticos, indicando a predominância das características do colérico. Os temperamentos basicamente melancólicos, veremos mais tarde, costumam ser mais teóricos ou filosóficos, desprovidos de praticidade.

Deduzimos das passagens já citadas diversas tendências coléricas em Saulo de Tarso. Por instinto era líder zeloso e ativo, era indivíduo zangado, hostil e amargurado que "respirava ameaças e morte". Além disso, era implacavelmente cruel. De qualquer modo, Saulo seria um grande líder, fosse ou não cristão. Seu encontro com Jesus no caminho de Damasco mudou a direção de sua liderança, mas não a diminuiu. Pelo contrário, o Espírito Santo usou essa capacidade como força dinâmica para a glória

[1] Nome atribuído aos cristãos nos primeiros dias da Igreja. (N. do T.)

de Jesus Cristo. É importante lembrarmos que Deus não apaga o temperamento quando nos enche de seu Espírito, pois cada um mantém a própria individualidade. Em vez disso, o Espírito Santo reorienta nossas forças para a glorificação de Deus e tempera nossas fraquezas, vencendo-as com as características do homem que anda no Espírito. Saulo transformado em Paulo tornou-se exemplo clássico do temperamento colérico controlado pelo Espírito Santo.

Força de vontade

Uma das maiores vantagens do indivíduo de temperamento colérico está em sua grande força de vontade. Dirigida corretamente, essa força o torna uma pessoa muito bem-sucedida. Em geral, os coléricos obtêm sucesso em qualquer profissão que escolham e não porque tenham maiores dotes mentais que os indivíduos de outros temperamentos. Seu sucesso pode ser atribuído à determinação e não à capacidade inata. Quando outros abandonam um projeto ou alguma tarefa, o colérico persiste com tenacidade até atingir o alvo. O apóstolo Paulo se refere a isso em 1Coríntios ao descrever os padrões da autodisciplina:

> Vocês não sabem que de todos os que correm no estádio, apenas um ganha o prêmio? Corram de tal modo que alcancem o prêmio. Todos os que competem nos jogos se submetem a um treinamento rigoroso, para obter uma coroa que logo perece; mas nós o fazemos para ganhar uma coroa que dura para sempre. Sendo assim, não corro como quem corre sem alvo e não luto como quem esmurra o ar. Mas esmurro o meu corpo, e faço dele meu escravo, para que, depois de ter pregado a outros, eu mesmo não venha a ser reprovado.
>
> 1Coríntios 9:24-27

Essa citação mostra de várias maneiras a força de vontade de Paulo. Aí está uma indicação de que ele "em tudo se dominava". Sua atividade não era a do sanguíneo, que não precisa de um propósito para satisfazer-se, porque a simples alegria de estar em atividade já o contenta plenamente. O apóstolo colérico corria "não sem alvo". Isso indica que sabia para onde ia; tudo que fazia tinha um propósito e um significado. Também indica que não abusava de seu corpo: "Esmurro o meu corpo, faço dele meu escravo". Não se pode imaginar um apóstolo obeso ou intemperante, mesmo na sociedade mais opulenta de hoje.

O mesmo apóstolo foi quem nos revelou um segredo importante sobre como obter vitória sobre as fraquezas. Ele sabia que a autodisciplina começa na mente. Se você não resolver que vencerá determinada dificuldade, provavelmente jamais conseguirá vencê-la. Em 2Coríntios 10, Paulo descreve o poder espiritual que reside na "carne" do crente, isto é, em seu corpo: "Levamos cativo todo pensamento, para torná-lo obediente a Cristo". O cristão disciplinado tem um bom propósito em sua mente, o qual produz sentimentos positivos em seu coração. Isso é importantíssimo, pois o Senhor Jesus disse: "Como um homem pensa em seu coração, assim ele o é". O sucesso na vida cristã começa na mente, e esta é formada pela vontade. Quem ceder às próprias fraquezas, desculpando-as e mimando a si mesmo, não mudará. Somente apoiando-se na verdade de que "tudo posso naquele que me fortalece" é que se obterá vitória na batalha do temperamento (Fp 4:13).

Essa imensa força de vontade fez do apóstolo colérico uma pessoa muito dinâmica e marcante. Ele era decidido e extremamente motivado, com a capacidade de também motivar e dirigir outras pessoas. Parece-nos infatigável e cheio de fé. A obstinação oferece, porém, alguns perigos. Muitas vezes um colérico cristão é considerado grande homem de fé quando na realidade sua fé é uma forma exagerada de autoconfiança. Uma das grandes dificuldades dos que possuem essas características está em confiar mais no temperamento do que no Senhor. É necessário se lembrar que o sucesso na vida espiritual não provém de sua força ou seu poder, mas "pelo meu Espírito", conforme diz o Senhor. Paulo conhecia bem sua necessidade dos recursos divinos.

A característica principal do apóstolo colérico — sua persistência — é admirável quando dirigida pelo Espírito Santo. Mas essa perseverança poderá também distanciar o cristão colérico da vontade de Deus. Embora alguns de meus mais respeitados amigos crentes pensem que o apóstolo Paulo não tenha revelado falhas sérias após se converter, acredito que a Bíblia nos relata um incidente em que sua conhecida persistência aparece mal dirigida.

Chegando ao fim de sua terceira viagem missionária, em Atos 20, Paulo resolveu se apressar para "chegar a Jerusalém, se possível antes do dia de Pentecostes". Não temos aqui indicação alguma de que fosse vontade do Espírito Santo. Era um desejo forte, com um alvo duvidoso, que cresceu e transformou-se em uma vontade resoluta e compulsiva! Em vez de visitar a igreja de Éfeso, ele convidou os presbíteros para irem encontrá-lo em Mileto. No versículo 22 ele diz: "Compelido pelo Espírito, estou indo para Jerusalém". O espírito de Paulo desejava terminantemente ir para Jerusalém. Não há indicação de que tenha pedido a orientação do Senhor para isso, mas sim de que tenha feito seus planos de acordo com o próprio desejo.

Essa história mostra como até mesmo o cristão amadurecido pode se desviar da vontade de Deus, colocando a própria vontade acima da do Senhor. No versículo 23 vemos que Paulo já sabia das consequências, pois "em todas as cidades, o Espírito Santo me avisa que prisões e sofrimentos me esperam". Entretanto, a advertência não o deteria, pois disse: "Todavia, não me importo, nem considero a minha vida de valor algum para mim, se tão somente puder terminar a corrida e completar o ministério que o Senhor Jesus me confiou...".

O Senhor queria que Paulo acabasse sua carreira com alegria, mas não lhe revelou a hora nem o lugar. Se Deus quisesse que ele fosse a Jerusalém, quem lhe asseguraria não seria a determinação do apóstolo e sim a graça divina. Não quero ser dogmático a respeito de Paulo ter ou não se afastado realmente da vontade perfeita de Deus, indo para Jerusalém, embora pessoalmente eu ache que sim. Mas não há dúvida de que sua atitude foi carnal, não espiritual. Creio que às vezes os crentes tendem a perder muito do deleite espiritual, não por errarem, mas por fazerem a coisa certa de maneira errada. Isto é, resolvem algo e não perguntam a Deus, porque têm medo que ele lhes diga "não"; prosseguem então por conta própria. Mesmo que dê certo no fim, indagamos se tais pessoas não seriam bem mais felizes se atendessem à advertência: "Reconhece-o em todos os teus caminhos, e ele endireitará as tuas veredas", em vez de arquear suas costas coléricas e obstinadamente seguir as próprias diretrizes.

Com toda a certeza, o Espírito Santo revelou sua vontade quanto à viagem a Jerusalém em Atos 21, pois, quando Paulo chegou a Tiro, o Espírito Santo avisou-o por intermédio dos discípulos, que ele não deveria subir a Jerusalém. Paulo não deu ouvidos e prosseguiu obcecado. Alguns dias mais tarde, em Cesareia, hospedaram-se em casa de Filipe, o evangelista. Um profeta da Judeia, Ágabo, tomou a cinta do apóstolo e amarrando os próprios pés e mãos disse: "Assim diz o Espírito Santo: Desta maneira os judeus amarrarão o dono deste cinto em Jerusalém e o entregarão aos gentios". Os demais crentes, ouvindo isso, imploraram a Paulo que não fosse. Mas este recusou-se a ouvi-los. A Bíblia nos conta que, "como não pudemos dissuadi-lo, desistimos e dissemos: Seja feita a vontade do Senhor". Ou todos esses discípulos e profetas estavam errados, ou Paulo estava errado. Os coléricos são teimosos e têm uma vontade de ferro. Precisam aprender que, quando pessoas espiritualmente motivadas recomendam uma mudança de direção, seria melhor se procurassem conhecer a vontade do Espírito Santo sobre o assunto. Isso é difícil para coléricos, pois crescem e vivem sempre em oposição. Quanto mais nos colocamos contra um deles e procuramos obstruir suas atividades, mais fortemente obstinados se tornam para seguir em frente.

Um médico cristão descreveu dois tipos de respostas à oposição, demonstrados por dois pastores, seus amigos, um sanguíneo, o outro colérico. Quando o primeiro sofria alguma oposição, "saía para conversar pessoalmente com seu oponente e oferecia-lhe um cafezinho". Sua insegurança o motivava a usar seus dotes de "carisma" a fim de induzir seu opositor a um espírito de cooperação. Já o segundo reagia de forma distinta, esforçando-se por "dobrar" seu oponente, firmando-se mais em sua posição.

Constitui uma tentação constante para os crentes coléricos resolver algo e insistir naquilo persistentemente, sem antes verificar se é ou não da vontade de Deus. Esse comportamento pode produzir um obreiro aparentemente produtivo, mas não faz um crente feliz, nem proporciona o melhor uso de seus talentos. O colérico cheio do Espírito Santo sempre alcançará maior êxito do que o colérico carnal. Como em todos os outros temperamentos, esse precisa muito da plenitude do Espírito Santo. De outra forma, enfrentará diversas dificuldades que certamente seriam evitadas, como no caso do apóstolo Paulo.

Conhecemos bem a história do que ocorreu com o apóstolo colérico quando, mais colérico do que apóstolo, recusou-se a dar ouvidos à admoestação do Espírito Santo e subiu a Jerusalém.

Um pecado sempre leva a outro, e encontramos Paulo rapando a cabeça e fazendo um voto israelita a fim de agradar aos judeus. Em geral, o colérico não é tentado a transigir, mas torna-se vulnerável quando pensa que, cedendo a um pequeno erro, pode fazer acertadamente algo muito superior. Pode ser que esse tenha sido o pensamento de Paulo quando subiu a Jerusalém e observou o costume judaico, pois ele tinha um desejo imenso de alcançar os judeus para Cristo.

Deus chamara Paulo para um grande ministério entre os gentios, e ele o cumpriu. Seu espírito nacionalista, entretanto, o fazia sentir-se também responsável por seu povo, o que é recomendável e compreensível. Sem dúvida, pensou que se submetendo àquele ritual judaico, para ele sem significado, ficaria bem visto pelos judeus de Jerusalém, abrindo, ali, uma porta para a pregação do Evangelho. Paulo aprendeu — e todo cristão deve aprender com essa experiência registrada em Atos 20 e 22 — que não funciona fazer algo errado, mesmo com o fim de alcançar um bom objetivo. Em outras palavras, é sempre errado cometer um erro! A desobediência demonstra incredulidade e falta de confiança de que Deus é quem abre o caminho para que preguemos em Jerusalém, falemos a uma grande multidão ou a apenas uma pessoa. Deus, que pode usar a ira dos homens para seu louvor, não precisa de nosso pecado para revelar sua graça.

O apóstolo colérico pagou caro por esse curto período de obstinação. Foi encarcerado em Jerusalém, e então transferido para Cesareia, onde ficou cerca de dois anos. Aprendeu uma lição importante com essa experiência pessoal, lição que todos os coléricos cristãos lucrariam muito em aprender: entregar sua força de vontade a Deus, que não comete erros na direção de suas vidas.

Certamente essa crise de teimosia foi confessada, embora não tenhamos nas Escrituras indicação disso; pois vemos que Paulo, depois desse período de vacilação, continua seu ministério com produtividade e utilidade, nas mãos do Espírito de Deus. Assim como na vida de Pedro, o sanguíneo, observamos na vida do apóstolo colérico que Deus não guarda rancor, mesmo quando pecamos. Deus continuou usando esse homem de maneira poderosa na prisão, testemunhando a governadores, reis e, finalmente, ao próprio César. Muitas epístolas de Paulo foram escritas depois daquela demonstração de temperamento dominado pela carne. O reatamento com Deus é uma experiência instantânea acessível a todo crente que reconheça seu pecado e se entregue novamente ao Senhor.

Agressivo

A ira e a agressividade são características do temperamento colérico que aparecem pouco na vida de Paulo após a conversão, ao contrário do que acontecia antes, quando tais sentimentos o motivavam. Um desses casos é relatado em Atos 15, no início da segunda viagem missionária. Parece que Paulo e Barnabé haviam levado com eles João Marcos, sobrinho de Barnabé, na primeira viagem; mas o jovem os deixou ao chegar a Perge (At 13:13). Por essa razão, Paulo resolveu terminantemente que o jovem não os acompanharia na segunda viagem. Um colérico não tolera desistentes. É intolerante com aqueles que não mantém o ânimo e a força em face da adversidade. Mas Barnabé, melancólico-fleumático, insistiu que Paulo deixasse seu sobrinho acompanhá-los. Isso era típico de seu temperamento, pois era um amigo leal, um indivíduo que se sacrificaria a fim de dar ao rapaz mais uma oportunidade.

Paulo manteve-se inflexível. O versículo 39 indica que "tiveram um desentendimento tão sério que se separaram. Barnabé, levando consigo a Marcos, navegou para Chipre". Alguns crentes gostam de interpretar esse trecho como uma maneira maravilhosa de o Espírito Santo motivar o início de duas viagens missionárias em vez de uma só, mas essa explicação exclui o ponto principal. O Espírito Santo não precisa de desavenças entre irmãos para cumprir sua vontade. Quando cheios do Espírito, não somos contenciosos, irados, agressivos ou isentos do espírito de perdão. Pode ser que não fosse da vontade de Deus que Paulo e Barnabé viajassem juntos, porque não há dúvida de que ele abençoou essa segunda viagem e também a Silas, o novo companheiro de Paulo. Mas podemos ter certeza de que o Espírito Santo não tinha necessidade de uma explosão colérica da parte de Paulo para precipitar tal decisão.

Outra erupção da ira do apóstolo colérico se encontra em Atos 23. Paulo fora preso e levado perante o Sinédrio. Começara seu discurso de defesa: "Tenho cumprido meu dever para com Deus com toda a boa consciência", quando Ananias, o sumo sacerdote, mandou que os homens que estavam junto de Paulo "lhe batessem na boca". A reação instintiva do agredido foi replicar: "Deus te ferirá, parede branqueada! Estás aí sentado para me julgar conforme a lei, mas contra a lei me manda ferir?". É verdade que o apóstolo pediu desculpas ao saber que injuriara o sumo sacerdote, mas sua tirada contra a injustiça foi uma expressão típica da agressividade do temperamento.

Esse episódio foi mencionado aqui, não para desmoralizar o grande apóstolo, mas para mostrar que um colérico, mesmo cristão, tem na ira um problema. Não é preciso ser dominado por ela, pois é possível vencê-la pelo poder do Espírito Santo, no momento em que a reconhecemos como pecado, a confessamos e pedimos que Deus a remova. E é necessário repetir essa confissão a cada vez que nos irarmos. Quando, assim como Paulo naquela ocasião, se age por vontade própria, volta-se ao domínio da carne. Só o andar no Espírito pode remediar essa falha.

Feliz o colérico (e aqueles que o cercam) que estiver disposto a reconhecer imediatamente sua ira como pecado, não ceder à tentação de justificá-la e pedir a Deus a paz de uma vida cheia do Espírito Santo.

Autossuficiente

Como resultado de sua imensa força de vontade, o colérico é muito autossuficiente. Essa independência se evidencia conforme o indivíduo se torna bem-sucedido. Vemos a autossuficiência do apóstolo no fato de ele recusar pagamento por seu trabalho pastoral, apesar de reconhecer que era lícito e justo receber remuneração. Sempre que ia servir em alguma cidade, exercia sua profissão de fabricante de tendas (At 20:34). Não há nada de errado em um homem sustentar-se, mas essa é uma reação típica do colérico. É raro alguém com esse caráter se apresentar para receber auxílio-desemprego. Nesse caso, lembro-me de meu pai, que tinha razoável estoque desse temperamento. Durante o tempo da depressão econômica nos Estados Unidos, foi-lhe impossível obter um emprego. Seu talento para reparos mecânicos não só era inútil para fábricas de automóveis, que àquela altura estavam fechadas, como também o fato de não ter uma das pernas complicava ainda mais suas possibilidades de obter trabalho. Durante os dez meses em que tinha o direito de receber auxílio-desemprego, meu pai se recusou a aceitar aquele dinheiro, a não ser que pudesse fazer algo para merecê-lo. Diante disso, a agência de desemprego permitiu que ele fizesse a entrega em domicílio de alimentos que o governo destinava a pessoas que não tinham condução, e só então ele aceitou a ajuda.

Devido a esse sentimento de independência, o colérico não tem medo de ficar sozinho; pelo contrário, muitas vezes é chamado de solitário. Não que não goste de outras pessoas, mas na maioria das vezes prefere fazer as coisas por si mesmo. Percebemos em Paulo essa tendência, quando este se viu sozinho na cidade de Atenas, uma comunidade cética e idólatra. A maioria das pessoas procuraria passar despercebida até que chegassem reforços —, mas não o apóstolo Paulo. Em Atos 17, vê-se que seu coração ardia com tal intensidade diante da situação dos atenienses que passou a argumentar com o povo; e quando uma multidão se reuniu, foi levado ao Areópago a fim de fazer um discurso para a elite da cidade.

Já estive em Atenas e vi as ruínas da Acrópole. Era um centro magnífico da religião pagã na época de Paulo. Provavelmente de pequena estatura, o apóstolo deve ter parecido minúsculo ao lado daquelas enormes estruturas rochosas enquanto declarava a verdade sobre o "Deus desconhecido". Nada intimidado por sua posição solitária, proclamou o que consideramos um dos mais brilhantes exemplos de oratória de púlpito. Embora a aceitação por parte dos ouvintes não tivesse sido surpreendentemente grande, a Bíblia diz que "alguns homens juntaram-se a ele e creram" (At 17:34).

Esse espírito de autossuficiência e independência pode limitar o efeito do colérico cristão porque este não sente de imediato a necessidade de um relacionamento de culto a Deus e de dependência do Espírito Santo. Ele se mostra geralmente tão capaz e eficiente agindo por si mesmo, que os aplausos das pessoas atiçam sua vaidade e o tentam a prosseguir no trabalho cristão à revelia do poder de Deus. Somente ao reconhecer sua total incapacidade ao agir sem o Espírito Santo é que poderá usar de sua força de vontade em uma vida devocional disciplinada, que produz um servo de Deus cheio de poder.

A conversão de Paulo tipifica as medidas extremas frequentemente necessárias para forçar o colérico adulto a se humilhar e receber a Jesus Cristo. Não sabemos ao certo se Paulo tinha ouvido o Evangelho antes do sermão de Estêvão; é, porém, provável que ele tivesse algum conhecimento do que se ensinava, já que alimentava um ódio tão intenso que o levou a perseguir os cristãos. Nosso Senhor também sugere isso ao dizer a Paulo: "Resistir ao aguilhão só lhe trará dor!" (At 26:14), indicando que este já se achava há algum tempo sob convicção. A autossuficiência dessa personalidade parece criar uma resistência muito grande ao reconhecimento da necessidade do Espírito Santo. A saudosa Henrietta Mears, uma das maiores educadoras cristãs do nosso tempo, costumava dizer: "Nunca deixe um adolescente seguir em frente sem que já conheça a Jesus Cristo". Ela sabia que muitos meninos, especialmente os coléricos que ainda não conhecem a Cristo, quando chegam ao final do Ensino Médio, provavelmente não responderão ao Salvador até que as dificuldades da vida os levem a dobrar os joelhos. Isso talvez explique as medidas extremistas que o Senhor tomou ao mandar uma luz do céu que cegou Paulo, para então falar-lhe de forma audível (At 9:1-8). Só quando humilhado pelas adversidades é que o colérico responde ao convite gracioso de receber o dom da vida eterna de Deus.

Dinâmico

Outra característica do temperamento colérico demonstrada pelo apóstolo Paulo é sua capacidade inata para a liderança. Isso ficou evidenciado em suas atividades no conselho de Jerusalém, o Sinédrio, assim como em sua primeira viagem missionária, quando ele e Barnabé formaram a primeira equipe missionária (At 13). Barnabé era o cristão mais antigo que convidara Saulo, recém-convertido, para trabalhar com ele na igreja de Antioquia (At 11:25-26). Porém, ao saírem da ilha de Chipre, o grupo passou a ser designado "Paulo e seus companheiros" (At 13:13), o que indica que as rédeas da liderança tinham passado para outras mãos. Daí em diante ficou sendo "Paulo e Barnabé". Essa capacidade de comandar destacou-se em diversas ocasiões, uma das quais se deu quando Paulo e Silas encontraram a pitonisa. "Finalmente, Paulo ficou indignado, voltou-se e disse ao espírito: Em nome de Jesus Cristo eu lhe ordeno que saia dela! No mesmo instante o espírito a deixou" (At 16:18). Essa liderança agressiva, claramente iniciada pelo Espírito Santo, caracteriza o ministério do apóstolo colérico. Encontramos outra ilustração em Atos 27:21-25. Paulo estava sendo levado preso a bordo de um navio com destino a Roma. Em meio a uma furiosa tempestade, os guardas estavam prestes a matar todos os prisioneiros devido ao costume romano que exigia o pagamento pelos que fugissem. Paulo disse:

> Os senhores deviam ter aceitado o meu conselho de não partir de Creta, pois assim teriam evitado este dano e prejuízo. Mas agora recomendo-lhes que tenham coragem, pois nenhum de vocês perderá a vida; apenas o navio será destruído. Pois ontem à noite apareceu-me um anjo do Deus a quem pertenço e a quem adoro, dizendo-me: "Paulo, não tenha medo. É preciso que você compareça perante César; Deus, por sua graça, deu-lhe a vida de todos os que estão navegando com você". Assim, tenham ânimo, senhores! Creio em Deus que acontecerá do modo como me foi dito.
>
> Atos 27:21-25

Somente um colérico cheio do Espírito poderia reagir dessa forma! O prisioneiro assumiu a autoridade do navio e salvou a vida dos que o aprisionavam! Isso foi mais que uma resposta intuitiva a uma situação desafiadora; foi confiança em Deus, induzida sobrenaturalmente.

Essa ousadia caracterizou o apóstolo em toda a sua vida. Ele é talvez a testemunha mais arrojada de que temos notícia na história da Igreja. Em Atos 22 vemos como proclamou com coragem, perante os judeus que odiavam a Cristo, seu relacionamento com o Salvador. Esse sermão foi interrompido pela ira do povo, criando-se um tumulto que só foi abafado pela presença do comandante da força dos romanos. Como prisioneiro, Paulo defendeu-se corajosamente perante Tertúlio, o governador: perante Félix, que tomou o lugar de Tertúlio, e perante Agripa, o rei dos herodianos. Em cada um dos casos, ele desafiou pessoalmente o rei ou governador com sua mensagem. Paulo era um poderoso pregador da Palavra de Deus.

Temos outra ilustração vibrante do testemunho ousado do apóstolo quando, na prisão em Roma, ele testemunha constantemente para seus algozes e quaisquer outras pessoas que lhe dessem atenção. Em Filipenses 4:22, ao mandar saudações à igreja de Filipos, ele disse: "Todos os santos lhes enviam saudações, especialmente os que estão no palácio de César". Como será que alguns do palácio de César tornaram-se santos? Ora, se todos aqueles que ouvem e recebem o Evangelho se tornam santos, concluímos que alguns se converteram por meio dos soldados romanos acorrentados a Paulo durante sua prisão em Roma. Enquanto aguardava julgamento, o prisioneiro geralmente tinha um carcereiro acorrentado a seu pulso. O apóstolo não deixaria de proclamar sua fé com toda a ousadia a seus guardas. Tal testemunho destemido, inspirado pelo Espírito Santo, certamente produziu frutos na própria casa de César.

Prático

Em geral o colérico possui poucas características estéticas, mas é muito prático. Para ele, as decisões da vida têm de ser tomadas com um propósito utilitário. É por isso que acha tão difícil relaxar-se e divertir-se em companhia da família. Muitos coléricos modernos estariam dispostos a trabalhar até a morte a fim de prover, dos melhores benefícios materiais, suas famílias, embora as mesmas não mais desejassem do que seu amor e sua convivência.

Os escritos do apóstolo Paulo estão repletos de comentários práticos, como o leitor observará nos últimos dois ou três capítulos de cada uma de suas epístolas. Suas cartas geralmente seguem um sistema de instrução doutrinária na primeira parte, respostas a perguntas que teriam sido feitas por crentes, e exortações práticas no fim. No código de cores que uso para a marcação de minha Bíblia, indico com a cor laranja os mandamentos; os últimos capítulos das epístolas paulinas estão quase cobertos desse tom. Esses mandamentos têm usos extremamente práticos para o crente.

Não é difícil descobrir o pregador colérico, pois seus sermões transbordam de implicações práticas. Melancólicos costumam enfatizar a teologia e gostam de assuntos abstratos, enquanto os sanguíneos são conhecidos por sua oratória e emotividade. Vivemos em uma época ligada ao lado prático da vida, e isso talvez explique por que a maioria das igrejas em fase de crescimento é pastoreada por coléricos. Há algumas exceções notáveis, mas a maior parte das pessoas se deixa atrair facilmente pelo homem que ensina a Palavra de Deus em termos simples, com aplicações objetivas à vida.

Essas características práticas dos pregadores coléricos podem levá-los a pregar sermões mais longos do que o normal. Entretanto, geralmente conseguem se sair bem, porque falam com rapidez e conservam os ouvintes interessados o bastante, mantendo mesmo os cristãos comodistas atentos durante seus discursos longuíssimos. Essa inclinação faz deles "comunicadores compulsivos", pois sabem, do ponto de vista prático, que somente o Evangelho resolverá os problemas da humanidade.

Essa talvez tenha sido a motivação do apóstolo Paulo em Trôade, em sua terceira viagem missionária. No domingo, quando os discípulos se reuniram para partir o pão, "Paulo, que devia seguir de viagem no dia imediato, exortava-os e prolongou o discurso até a meia-noite" (At 20:7). Provavelmente o domingo era dia de trabalho, por isso eles poderiam ter-se reunido no início da noite, e Paulo pregou durante quatro ou cinco horas. Um jovem chamado Êutico cochilou e "caiu do terceiro andar. Quando o levantaram, estava morto". O apóstolo colérico, em nada intimidado por essa tragédia, "inclinou-se sobre o rapaz e o abraçou, dizendo: Não fiquem alarmados! Ele está vivo!". Paulo dessa vez pregou mesmo "até a morte", mas nem a morte fez parar o apóstolo impulsivo, comunicativo e colérico! Muito pelo contrário, voltou à pregação: "Então subiu novamente, partiu o pão e comeu. Depois, continuou a falar até o amanhecer e foi embora".

Um dos líderes de nossa igreja comentou em tom de brincadeira — embora talvez com seriedade — que meu sermão do domingo anterior fora um tanto longo. Minha esposa marcara no relógio uma hora e dez minutos, o que é bem raro para mim. Eu respondi: "Mas não sou tão ruim como Paulo — nunca matei ninguém de tanto pregar". Ao que meu amigo replicou com sabedoria: "Pastor, quando o senhor puder fazer o mesmo que Paulo fez após matar o moço com a pregação, poderá realizar sermões tão compridos quanto quiser". Fica claro que Paulo não era apenas um apóstolo colérico, mas um colérico cheio do Espírito Santo, com um profundo desejo de ensinar as verdades de Deus a pessoas que, possivelmente, nunca mais tornaria a ver nesta terra.

Líder de campanhas

Os coléricos nasceram com o dom de fazer campanhas. São os primeiros da comunidade a instigar movimentos reformadores. Quando observam injustiças sociais, não só ficam comovidos, como reagem imediatamente. "Vamos nos organizar e fazer alguma coisa a respeito disso".

Depois de observar essa personalidade por muitos anos, concluí que suas campanhas não são motivadas tanto por sentimentos de piedade como por uma tendência para a ação. Em geral o colérico empenhado em uma campanha é teimoso, indiferente às opiniões e aos sentimentos alheios. É o único tipo de temperamento que realmente não se importa com o que os outros pensam. Essa tendência torna-se mais pronunciada com o passar do tempo, sobretudo se o indivíduo experimentar certo grau de sucesso em seu campo.

Os cristãos têm a tendência de decidir por si mesmos o que assumem como certo e de prosseguir inarredáveis seus caminhos, não levando em conta a quem ofendem ou pisam. Essa pode ser uma característica recomendável quando motivada por objetivos ou situações que a justifiquem, mas às vezes se trata de mera autoindulgência camuflada de espírito cristão. Lendo Gálatas 2, podemos compreender melhor a conduta de cruzado, um tanto "obstinada", do apóstolo colérico. Já vimos a mesma experiência anteriores, do ponto de vista de Pedro, o sanguíneo, que teve comunhão com os gentios cristãos até que os judeus-cristãos chegassem da Judeia. Então, com medo de ofendê-los, ele se distanciou dos irmãos gentios e seus costumes.

O fato de Paulo ser um dos crentes mais jovens, de estar na presença dos anciãos da igreja, e de ter suas palavras examinadas com cuidado, não o impediu de agir. Ele notou que os crentes gentios foram ofendidos por Pedro de maneira contrária à "verdade do Evangelho", e resistiu-lhe "face a face, por sua atitude condenável". Paulo disse ainda que isso ele fez "diante de todos: Você é judeu, mas vive como gentio e não como judeu. Portanto, como pode obrigar gentios a viverem como judeus?". A possibilidade de ser ridicularizado ou de alguma outra forma repreendido pelos presbíteros não foi considerada por Paulo. Ele vira uma injustiça e fora movido a corrigi-la.

Não consigo deixar de imaginar que a "grande nuvem de testemunhas", que têm uma compreensão melhor da verdade desde que estiveram com o Senhor, estivesse aplaudindo Paulo. A maioria dos cristãos nessas circunstâncias, quando havia necessidade de repreensão, tende a ficar calada, ou então a ir embora e criticar a pessoa pelas costas. É sempre mais proveitoso sermos honestos com os irmãos em Cristo. Muitas vezes fazemos um bem maior a nossos irmãos ao admoestá-los do que ao silenciarmos. Naturalmente, deve-se tomar cuidado para que nossas ações sejam motivadas pelo Espírito Santo e não por nossa natureza egoísta.

Controversista

Qualquer pessoa com boa dose de temperamento colérico será motivo de controvérsia, mesmo quando cheia do Espírito Santo. A plenitude do Espírito proporciona ao cristão situações em que será contestado por amor da justiça; se estiver andando na carne, será contestado por suas qualidades coléricas. Em todo lugar aonde ia, Paulo trazia contestações. As pessoas ou amavam-no ou odiavam-no. Os judeus zelosos, naturalmente, lhe tinham aversão. Uma delegação o seguia de uma cidade a outra, procurando suscitar problemas e persegui-lo. Eles o apedrejaram e deixaram-no como morto em Icônio. Alguns judeus de Jerusalém o detestavam tanto, que tinham uma conduta irracional: certa vez um grupo fez o juramento de que não comeriam nem beberiam enquanto não o tivessem matado.

Mas nem todas as reações para com o apóstolo colérico foram de hostilidade. Ele motivou também muitas pessoas a um sentimento de intenso amor e lealdade. Por exemplo, Timóteo e Lucas o seguiram mundo a fora.

Aqueles que amavam o Senhor e estavam cheios do Espírito pareciam amar Paulo fervorosamente. Por todo o livro de Atos vemos pessoas que choravam quando ele deixava suas cidades. Esse homem que viajou pelo Oriente Médio e sul da Europa, levando milhares de pessoas a um conhecimento salvador de Jesus Cristo, é provavelmente um dos indivíduos mais benquistos da cristandade. Aqueles que lhe tinham ódio, tinham-no por ele ser um cristão cheio do poder.

Não espere que todos lhe estimem se você anda no Espírito, mas tenha a atitude do apóstolo colérico pleno do Espírito, que resolveu agradar a Deus, não aos homens. Alguém muito maior que Paulo foi odiado por sua justiça — o Senhor Jesus Cristo. Se ele não pôde agradar a toda a humanidade, não espere que você o possa. Porém, se perceber que está sempre tendo atritos com os crentes, é melhor analisar se porventura suas tendências coléricas não estão sobrepujando o Espírito, ou se é o Espírito Santo quem está, realmente, controlando seu temperamento.

A motivação de Paulo

O apóstolo colérico foi provavelmente o ser humano mais otimista do mundo. Esse sentimento produziu uma motivação nunca superada na história da Igreja. Sem acesso a recursos humanos, ele avançou, com otimismo, até lugares desconhecidos, levado apenas pela convicção de que o Espírito de Deus o enviara. Passou por sofrimentos maiores do que os que enfrentou qualquer homem conhecido na história da Igreja. Em 2Coríntios 11:23-28, o apóstolo reporta-se a alguns de seus sofrimentos como servo de Jesus Cristo:

> Trabalhei muito mais, fui encarcerado várias vezes, fui açoitado mais severamente e exposto à morte repetidas vezes. Cinco vezes recebi dos judeus 39 açoites. Três vezes fui golpeado com varas, uma vez apedrejado, três vezes sofri naufrágio, passei uma noite e um dia exposto à fúria do mar. Estive continuamente viajando de uma parte a outra, enfrentei perigos nos rios, perigos de assaltantes, perigos dos meus compatriotas, perigos dos gentios, perigos na cidade, perigos no deserto, perigos no mar, e perigos dos falsos irmãos. Trabalhei arduamente; muitas vezes fiquei sem dormir, passei fome e sede, e muitas vezes fiquei em jejum; suportei frio e nudez. Além disso, enfrento diariamente uma pressão interior, a saber, a minha preocupação com todas as igrejas.

Essa lista dos sofrimentos não é completa, evidentemente, porque foi feita muito tempo antes de sua prisão em Jerusalém e do naufrágio no Mediterrâneo, quando já a caminho de Roma. Ao escrever essas palavras, Paulo não sabia que seria aprisionado pelo menos mais três vezes.

Do ponto de vista humano, a tentação natural na adversidade é desistir. Mas não foi isso o que aconteceu com o apóstolo colérico, cheio do Espírito. Provavelmente a melhor ilustração de seu otimismo aconteceu após ter sido apedrejado e deixado como morto em Icônio, na primeira viagem missionária (At 14:19-21). A maioria dos crentes, se tivesse de passar por isso, teria fugido de volta a sua terra e nunca mais regressaria para ministrar a pagãos tão ingratos. Lemos às vezes sem a devida atenção um trecho como este: "Apedrejaram Paulo e o arrastaram para fora da cidade, pensando que estivesse morto", sem pensar muito no profundo sofrimento do apóstolo. Não temos certeza se Deus o trouxe de volta da morte, mas os inimigos deixaram de apedrejá-lo por pensar que ele estivesse acabado; portanto, estava pelo menos muito próximo da morte. Isso significa que sofreu lacerações severas, ferimentos e provavelmente até fraturas. Mas em vez de desistir, "levantou e voltou à cidade. No dia seguinte, ele e Barnabé partiram para Derbe. Eles pregaram as boas-novas naquela cidade e fizeram muitos discípulos. Então voltaram para Listra, Icônio e Antioquia". O que poderia estimular um homem a levantar-se de um monte de pedras de morte, prosseguir para Derbe a fim de pregar o Evangelho, e voltar para Listra onde estavam os que o apedrejaram?

Não existe explicação humana, mas sim uma explicação bíblica. Paulo descobriu o segredo da motivação que muitas pessoas deprimidas e apáticas de nossa sociedade não conseguiram perceber. O Antigo Testamento diz que "onde não há revelação divina, o povo se desvia" (Pv 29:18). Ninguém pode ser motivado sem ter uma visão. Essa é a razão pela qual um ser humano basicamente bem ajustado pode perder todo o seu interesse pela vida. Em vista das mudanças que normalmente ocorrem na vida, ele poderá alcançar seu alvo mais cedo do que esperava, ou sentir que esse alvo será impossível de ser alcançado. Diante dessa constatação, se não refizer os planos estabelecendo outra meta, poderá acabar se consumindo na luta. Por isso as pessoas otimistas estabelecem novos objetivos continuamente.

O segredo da motivação de Paulo foi-lhe concedido pelo Espírito Santo. Ele revelou esse segredo à igreja de Filipos em Filipenses 3:13-14, onde reconheceu que, embora imperfeito, tinha aprendido uma coisa: "Esquecendo-me das coisas que ficaram para trás, e avançando para as que estão adiante, prossigo para o alvo, a fim de ganhar o prêmio do chamado celestial de Deus em Cristo Jesus".

O apóstolo Paulo podia esquecer os apedrejamentos, os naufrágios, a fome, os açoites e a rejeição dos homens porque não olhava para trás; olhava, sim, para a frente, para o alvo final, quando estaria perante Jesus Cristo e prestaria contas de si mesmo. Depois da plenitude do Espírito Santo, esse é o maior segredo que há da motivação para o trabalho de Cristo. Na verdade, os dois segredos andam sempre juntos.

Quando o cristão resmunga, reclama e sente pena de si mesmo, está olhando para trás, para as reprimendas, afrontas pessoais, privações e sofrimentos. Isso nunca será produtivo, saudável ou útil para o crente. E, sim, profundamente desmoralizante. Paulo, assim como Abraão antes dele, olhava para uma cidade cujo construtor é Deus. Olhava especialmente para o Salvador, e vivia motivado pela volta de Jesus, esperando ouvi-lo dizer: "Muito bem, servo bom e fiel".

Se você for um cristão desmotivado, frustrado e inerte, sugiro que, além de procurar descobrir em sua vida os hábitos que estejam entristecendo o Espírito de Deus, examine também seus objetivos. O homem é um ser em luta para atingir suas metas; sem meta ele não luta. Já percebeu como em um dia de folga do trabalho você tem pouca motivação, a menos que tenha algo a fazer ou vá a algum lugar especial? A simples expectativa de participar de algum projeto específico já nos estimula.

Extensivas experiências sobre a motivação demonstram que, "da maneira como o homem pensa em seu coração, assim ele o é", e que seu comportamento durante o dia já é influenciado desde a véspera. Se quiser sentir-se motivado amanhã, vá dormir hoje pensando positivamente e com otimismo sobre o que Deus fará com e por intermédio de você amanhã. Pense de forma objetiva, específica, antecipando o que você espera que Deus faça, e como você espera enfrentar os desafios e as oportunidades do dia seguinte. O evangelista John Hunter disse: "Os crentes não têm problemas ao encarar as questões da vida, mas, se não as enfrentarem com fé, aí sim elas se tornarão problemas". Faça uma experiência na véspera de seu dia de folga, sente-se e escreva tudo o que deseja fazer no dia seguinte, colocando os itens em ordem de prioridade. Ore então a respeito dessa lista. Você ficará surpreendido com a facilidade para acordar no dia seguinte, a fluidez com que transcorrerá aquele dia e a satisfação em dormir à noite. Mas, se você adormecer pensando apenas em seu cansaço, é provável que acorde ainda cansado.

Durante os últimos anos tenho tido essa experiência, especialmente porque tenho pregado até cinco sermões por domingo, três de manhã e dois à noite. No fim do primeiro domingo com esse regime de trabalho, eu estava completamente exausto e à noite mal conseguia estender-me na cama. A última coisa que disse à minha esposa foi: "Não me acorde amanhã; vou dormir até acordar sozinho". No dia seguinte, dormi até às 10h30 e acordei pior do que estava ao me deitar. Durante semanas a fio eu me enganava dizendo que precisava da segunda-feira para "recuperar-me dos trabalhos intensos do domingo". Todo domingo à noite eu programava meu cérebro com o pensamento de que estava exausto e que para me recuperar teria de descansar no dia seguinte. Não levou muito tempo para minha esposa me tirar o hábito de dormir até às 10h30, mas ela não conseguia me fazer sentir bem disposto na segunda-feira.

Felizmente, o Senhor tomou conta da situação, pois, com a saída de um professor de Bíblia em nosso colégio evangélico, concordei em substituí-lo na aula bíblica às segundas-feiras de manhã. Uma vez assumido o compromisso, eu não recuaria. Ao rastejar para a cama domingo à noite, após cinco sermões, estudei a Bíblia a fim de preparar-me para a aula dos jovens no dia seguinte. Surpreendentemente, a letargia transformou-se em vitalidade. Nos meses subsequentes me observei com cuidado e descobri que minha atitude à hora de dormir determinava como eu me levantaria no dia seguinte. Dois meses mais tarde tivemos um feriado na segunda-feira, e novamente acordei cansado. Foi então que o Espírito Santo me mostrou que durante anos como pastor eu mimava a mim mesmo com a ideia de que na segunda-feira eu precisava me recuperar do domingo. Minha esposa e eu tivemos uma reunião de família e resolvemos que, nossos filhos eram adolescentes e estavam fora de casa, na escola, cinco dias por semana, eu deveria, em vez de folgar na segunda, deixar o sábado livre para conviver mais com a família. Desde então tenho tido um horário de trabalho intenso às segundas-feiras, e isso sempre na proporção direta de meu otimismo mental de domingo à noite.

É claro que os objetivos do apóstolo Paulo eram bem maiores. Ele arrastou para longe de Icônio seu corpo cansado e dolorido, porque a cidade de Derbe precisava desesperadamente do evangelho de Jesus Cristo. Foi esse alvo a curto prazo que o motivou a andar aqueles exaustivos quilômetros até o próximo campo de ceifa. Se você quer ser um cristão motivado e cheio do Espírito, peça ao Espírito de Deus que lhe dê alvos a curto, médio e longo prazos. Os alvos a curto e médio prazos serão completados nesta vida, mas somente ao comparecer perante o Senhor Jesus é que alcançaremos o desígnio eterno que ele estabeleceu para os filhos de Deus.

A falta de objetivos é a causa da morte prematura de muitos aposentados. Embora um homem possa ter sido muito produtivo no trabalho, visando à aposentadoria aos 75 anos de idade, depois disso ele poderá morrer antes mesmo de completar dois anos de aposentado. E é bem possível que a causa de sua morte não seja má saúde, porém, má "visão". Enquanto mantinha o alvo de aposentar-se e descansar, possuía uma razão para viver. Mas, depois de passada a novidade de aproveitar o sossego, ele se vê sem um propósito específico e, consequentemente, suas energias diminuem. A não ser que a pessoa aposentada consiga programar nova meta e nova visão para suas horas de lazer, terá a vida encurtada.

Menciono isso em meio ao estudo do apóstolo colérico, que "morreu com as botas calçadas", porque muitos cristãos, quando chegam à idade em que suas oportunidades de servir a Jesus Cristo são maiores, resolvem aposentar-se. Já vi pessoas com menos de cinquenta anos, com os filhos casados ou na faculdade, que deixam todas as formas de serviço cristão, em prejuízo próprio. Não pode haver felicidade nem segurança para o crente, a não ser que sua vida esteja sempre à disposição do Espírito Santo.

Certa vez uma senhora me perguntou: "Qual é a idade para a aposentadoria do serviço cristão?". Respondi: "Não há!". Enquanto houver um pecador no mundo e um cristão que possa transmitir-lhe a mensagem de Cristo, esse cristão não tem direito de aposentar-se. Qualquer pastor lhe dirá que as pessoas mais infelizes, ranzinzas e descontentes são aqueles crentes idosos que não têm propósito na vida. Os idosos mais felizes que conheço são aqueles que se entregam constantemente ao serviço de nosso Senhor e Salvador. Há alguns anos, eu e minha esposa tivemos oportunidade de visitar a sede da "Missão Oriental entre os Barqueiros" no porto de Hong Kong. Lá encontramos a octogenária mais interessante e motivada que já conheci. Tratava-se de uma missionária inglesa de 82 anos, cuja Missão decidira que ela era idosa demais para retornar ao campo de trabalho. Depois de forçada a aposentar-se, decidiu que Deus a chamara para o campo missionário por toda a vida e, sob suas ordens, partiu novamente, dependendo apenas dele para seu sustento. Essa senhora fazia o que mais gostava: compartilhar o Senhor Jesus com os refugiados da China Vermelha, que, por não possuírem casa, moravam em barcos amarrados nas docas. Depois de uma vida inteira de motivação, essa santa de Deus podia repetir com o apóstolo: "Combati o bom combate, terminei a corrida, guardei a fé. Agora me está reservada a coroa da justiça, que o Senhor, justo juiz, me dará naquele dia; e não somente a mim, mas também a todos quantos amam a sua vinda" (2Tm 4:7-8).

Qual era seu segredo? Como o apóstolo Paulo, a vida daquela mulher tivera sempre um propósito, "o prêmio da soberana vocação de Deus em Cristo Jesus", e lutava por seu prêmio ativamente. Qual é seu alvo? Sua motivação será determinada pela qualidade e precisão desse alvo. O Espírito Santo tem um propósito para a vida de cada cristão. É ele quem deve motivá-lo!

A transformação de Paulo

Uma grande parte da transformação operada pelo Espírito Santo no temperamento colérico diz respeito ao controle que exercia sobre o apóstolo quanto ao caminho que Deus queria que ele tomasse. Passaremos agora a examinar algumas características do apóstolo, reveladas nas Escrituras, inteiramente contrárias a seu temperamento natural. A obediência instantânea de Paulo depois de sua conversão a Cristo é previsível, porque os coléricos tendem a ser decisivos e a agir instantânea e intuitivamente. Mas a humildade que tomou conta do coração desse fariseu altivo e aristocrata não pode ser explicada de modo tão fácil.

Apesar do grande potencial, ele é, talvez por natureza, mais carente das características proporcionadas pela plenitude do Espírito do que os outros temperamentos. Gálatas 5:22-23 nos revela as características necessárias ao caráter colérico. Todas elas se encontram na vida do apóstolo após sua conversão.

Amor. A primeira característica da vida cheia do Espírito Santo é o amor, que é, provavelmente, a maior necessidade do crente colérico. Este, duro por natureza, desprovido de sentimentos, não emotivo, encontra muita dificuldade em expressar esse sentimento. Um meio muitas vezes usado pelo colérico para expressar tal emoção é fazer coisas pelos outros esperando que seus atos sejam interpretados como demonstração de amor. A compaixão é naturalmente um sentimento estranho ao colérico.

À medida que lemos a vida de Paulo, descobrimos que era um colérico cheio de amor. O Espírito Santo, de maneira maravilhosa, o transformou de um indivíduo irado, amargo e perseguidor em uma pessoa calorosa e compassiva. Ele reteve a força de caráter e firmeza inatas ao temperamento, mas irradiava constantemente o interesse afetuoso e compassivo pelas pessoas, tão necessário na vida do verdadeiro crente.

Temos nos escritos de Paulo e em Atos muitas ilustrações disso, mas uma só nos será suficiente. Em Romanos o apóstolo colérico escreve: "Irmãos, o desejo do meu coração e a minha oração a Deus pelos israelitas é que sejam salvos" (10:1). "Digo a verdade em Cristo, não minto, minha consciência o confirma no Espírito Santo: tenho grande tristeza e constante angústia em meu coração. Pois eu até desejaria ser amaldiçoado e separado de Cristo por amor de meus irmãos, os de minha raça, o povo de Israel" (9:1-3). Nenhum colérico natural, conhecendo a condenação eterna e a perda do céu, estaria disposto a fazer um sacrifício como esse. Paulo declara que trocaria seu lugar no céu pelo inferno se a nação de Israel se salvasse por meio desse ato. Conhecendo a autoestima do colérico, fica claro que esse fato é totalmente sobrenatural, apenas possível por meio do Espírito Santo. Essa compaixão do apóstolo não é excepcional, pois também a vemos em sua atitude para com igrejas inteiras, para com indivíduos, e mesmo para com alguns de seus inimigos.

Temos o direito de esperar que o cristão colérico, quando cheio do Espírito, tenha um coração compassivo com o próximo. Essa compaixão deve ter como ponto de partida os membros de sua própria família, estendendo-se a seguir aos parentes, aos vizinhos, e aos povos nos pontos mais remotos da terra.

Por meio da pena experiente do mesmo apóstolo colérico, o Espírito Santo admoesta todos os crentes: "Alegrem-se sempre no Senhor. Novamente direi: Alegrem-se!" (Fp 4:4). Ele também nos instrui: "Tenham cuidado para que ninguém retribua o mal com o mal, mas sejam sempre bondosos uns para com os outros e para com todos. Alegrem-se sempre. Orem continuamente. Deem graças em todas as circunstâncias, pois essa é a vontade de Deus para vocês em Cristo Jesus. Não apaguem o Espírito" (1Ts 5:15-19). As contendas e queixas do povo de Deus são as coisas que mais sufocam o Espírito. Paulo, pelo exemplo próprio e como mandamento, nos adverte para que nos regozijemos sempre e em tudo demos graças — cumprindo assim a vontade de Deus. Se você não é um cristão alegre, é porque não é um cristão cheio do Espírito. Em vez de resmungar e enraivecer-se quando aborrecido, ponha-se de joelhos e confesse a Deus, reconhecendo seu espírito de ingratidão ou complexo de perseguição como pecado. Peça a Deus que o remova de sua vida, enchendo-a com seu Espírito. Você experimentará, então, a alegria do Senhor.

Nem sempre conseguimos entender os propósitos de Deus em determinadas circunstâncias. Descobrimos, então, que mesmo ao enfrentar uma situação difícil, devemos ainda assim nos regozijar. Como? Pela fé, por meio do Espírito Santo. Quando você se encontrar em uma situação aparentemente sem saída, lembre-se de que Deus está no controle e que podemos nos alegrar pela fé, pelo ministério do Espírito Santo que habita em nós. Quando expressamos alegria, nos animamos; quando, porém, damos expressão às nossas tristezas, nos deprimimos. É da vontade de Deus que nos regozijemos tanto nas coisas que compreendemos quanto naquelas que fogem a nosso entendimento. A obediência a essa exortação irá purificar e estimular grandemente nossa vida emocional.

Paz. A paz do coração é estranha ao colérico carnal. Ele não só não a possui, como também se ressente da paz que observa nos demais. A única ocasião em que experimenta esse sentimento é quando se vê envolvido por um redemoinho de acontecimentos; no momento em que para, sente-se inquieto e compelido a entrar imediatamente em qualquer nova forma de atividade.

Poderíamos esperar que uma personalidade agressiva e altamente motivada somente encontrasse paz na ação. Mas os registros indicam o contrário. O Espírito Santo modificou de tal forma o apóstolo Paulo, que ele veio a compreender que a paz não dependia de circunstâncias ideais. Feliz o cristão que reconhece que a serenidade do coração e as circunstâncias externas não precisam estar relacionadas umas às outras. Não experimentamos vitória espiritual quando o coração acompanha uma situação agradável. Mas quando as coisas não vão bem, e ainda assim nos mantemos tranquilos, a presença controladora do Espírito Santo está então sendo benéfica. O caráter modificado do apóstolo colérico apresentava essa característica.

Nada poderia ser pior para aquele dinâmico pregador do Evangelho do que o confinamento e a proibição de seu ministério público. O orador zeloso pode suportar qualquer provação, enquanto lhe é possível propagar a Palavra de Deus com regularidade e eficácia. Entretanto, quando o apóstolo Paulo foi encarcerado por proclamar o evangelho de Jesus Cristo, um sentimento sobrenatural de paz tomou conta de seu ser. O mesmo apóstolo colérico disse:

> Aprendi a adaptar-me a toda e qualquer circunstância. Sei o que é passar necessidade e sei o que é ter fartura. Aprendi o segredo de viver contente em toda e qualquer situação, seja bem alimentado, seja com fome, tendo muito ou passando necessidade.
>
> Filipenses 4:11-12

Certo dia, quando visitava uma senhora, membro de minha igreja, desanimada de ver-se presa à cama durante algumas semanas, tentei levantar-lhe o ânimo mencionando o desafio de Paulo para em tudo dar graças e experimentar paz no coração apesar das circunstâncias. Li então o testemunho do apóstolo: "Aprendi o segredo de viver contente em toda e qualquer situação...", e ela retorquiu: "Mas Paulo nunca esteve como eu estou agora!". Olhei para aquela mulher que nada sabia sobre seu sofrimento, em comparação com o de Paulo, e perguntei-lhe:

— A senhora sabe onde ele estava quando escreveu isto?

— Não.

— Na cadeia, esperando ser levado à presença de César e possivelmente executado pela causa de Cristo!

Bastante envergonhada, ela reconheceu sua impulsividade e começou a orar com um novo espírito. Se ficarmos amargurados diante dos problemas, não poderemos alcançar a paz de Deus.

Alguns crentes se inquietam e se preocupam tanto que chegam a perder o domínio próprio. A Bíblia nos diz: "Não andem ansiosos por coisa alguma, mas em tudo, pela oração e súplicas, e com ação de graças, apresentem seus pedidos a Deus. E a paz de Deus, que excede todo o entendimento, guardará o coração e a mente de vocês em Cristo Jesus" (Fp 4:6-7). Essa afirmativa inspirada pelo Espírito Santo foi escrita pelo apóstolo Paulo, enquanto se achava na prisão. Se você sente falta de paz e de contentamento, confesse sua amargura egoísta ou seu medo e peça que o Espírito de Deus lhe dê sua paz.

Amabilidade. Os coléricos carnais, por natureza, desconhecem a amabilidade — pelo menos no sentido bíblico da palavra. A maioria dos tradutores indica que o termo significa "bondade". Você consegue imaginar um colérico teimoso, obstinado, irredutível, mas gentil? Pode ainda imaginá-lo agindo com amabilidade, atenção, considerando em primeiro lugar seu próximo? Essas qualidades provêm de um coração compassivo e terno e só podem existir por meio da plenitude do Espírito Santo.

O apóstolo Paulo demonstrou todas essas admiráveis características. Ele escreveu o livro de Filemom como uma expressão desse sentimento, buscando o bem-estar de um irmão cristão. Evidência de amabilidade espontânea pode ser vista nas últimas palavras escritas pelo apóstolo. Já vimos como ele recriminou Barnabé por insistir em levar o jovem João Marcos na viagem missionária, mas em 2Timóteo 4:11 encontramos estas palavras: "Traga Marcos, porque ele me é útil para o ministério". Paulo foi grande o bastante para reconhecer que Marcos se tornara um fiel servo de Deus. Essa mesma benevolência, motivada pela compaixão, também é vista no tratamento que o apóstolo dá às mulheres. Os homens coléricos geralmente não são, por natureza, gentis com elas. As mulheres coléricas, por sua vez, podem ser quase odiosas em relação às demais representantes de seu sexo, parecendo quase ressentir-se do fato de serem mulheres e desdenhando daquelas que não possuem sua iniciativa e sua energia.

Os cristãos coléricos devem esforçar-se para ser gentis com as outras pessoas e, particularmente, com as mulheres. A autoconfiança do colérico cria um sentimento de inferioridade ou insegurança nas demais pessoas. Por ter geralmente uma resposta pronta e tendência à rispidez e ao sarcasmo, ele desperta temor. De minhas experiências de aconselhamento concluo que o número de mulheres crentes que sofrem choques emocionais é bem maior entre a esposa de homens coléricos do que entre a dos três outros temperamentos somados. É bastante compreensível quando se trata de homens que não conhecem a Jesus Cristo e não têm a plenitude do Espírito Santo, mas essa falta de gentileza em relação à mulher é absolutamente inadmissível no cônjuge cristão.

Os coléricos tendem a dominar todas as áreas de atividade; não permitindo, dessa forma, que os demais façam uso dos próprios talentos e adquiram autoconfiança com realizações pessoais. Os cristãos com esse temperamento estarão usando de sabedoria quando se esforçarem para elogiar os outros e demonstrar aprovação sempre que houver mérito alheio. Tenho observado que, em geral, é muito difícil agradar a um colérico. Em virtude de sua obstinação, ignoram facilmente as qualidades e demonstram desagrado por falhas mínimas. A aprovação e o encorajamento são, todavia, fatores necessários para acentuar o respeito e o amor. Quando esse tipo de pessoa passa a ser controlado pelo Espírito Santo, irá preocupar-se mais com os sentimentos alheios do que em se movimentar para lá e para cá a todo o vapor; isso se evidencia em sua amabilidade.

Uma forma de tratamento altamente louvável em relação às mulheres foi a usada pelo apóstolo Paulo no capítulo 16 de Atos. Em uma visão, ele fora chamado por um homem, a fim de seguir para a Macedônia, mas as primeiras pessoas devotas que ali encontrou foram mulheres. Foi em uma reunião de oração com elas que ele pregou sua primeira mensagem na Europa, e a primeira pessoa convertida foi Lídia, uma tecelã que vendia linho e púrpura. A história toda mostra o terno interesse e respeito de Paulo pelas mulheres; atitude essa não só contrária ao costume da época, como também avessa a seu temperamento colérico. Os homens pouco amáveis com as mulheres em geral, e em particular com a esposa, não são controlados pelo Espírito. A melhor solução para a desarmonia no lar está na plenitude do Espírito Santo. É claro que esse benefício não se limita à relação do casamento, mas é terapêutica em qualquer conflito que surja entre as pessoas.

Mansidão. Ao escrever sobre os temperamentos, o teólogo Alexander Whyte faz esta oração, que deve refletir a atitude do cristão colérico:

> Senhor, permita que eu sempre seja cortês e acessível. Jamais deixe que eu mostre espírito contencioso ou impertinente. Permitas que eu tenha paz com todos os homens, oferecendo-lhes perdão e atraindo-os com minha cortesia, pronto a confessar meus erros, apto a reparar danos e desejoso de reconciliação. Dá-me um espírito cristão, caridoso, humilde, misericordioso e manso, útil e liberal; que eu não me aborreça por nada a não ser por meus pecados e pelos pecados dos outros; que, enquanto minha paixão obedeça a minha razão, e minha razão seja religiosa, pura e sem mácula, temperada com humildade e adornada pela caridade, que eu

possa escapar de tua ira, que bem mereço, e habite em teu amor; que eu seja teu filho e servo para sempre, por meio de Jesus Cristo nosso Senhor, Amém.

Fé. A fé é outra característica espiritual muito necessária ao colérico carnal. Ah! Ele tem bastante fé em si mesmo, aquilo que denominamos autoconfiança, mas precisa desesperadamente aprender a crer e a confiar em Deus, para tudo. O apóstolo Paulo é um exemplo típico do colérico cheio do Espírito, que não mais confia em si mesmo, mas sim, e sem restrições, no Deus vivo. Uma das muitas passagens que nos mostram isso é sua declaração extraordinária feita em um navio, em meio a uma tempestade: "Assim, tenham ânimo, senhores! Creio em Deus que acontecerá do modo como me foi dito" (At 27:25). Essa fé vem do conhecimento da Palavra de Deus e do controle do Espírito Santo. Às vezes é difícil saber se um cristão colérico está colocando sua crença em si mesmo ou em Deus. Mas ele sabe. Se estiver confiando em si mesmo, não estará gozando a plenitude do Espírito Santo.

Humildade. Em muitas passagens de Atos, as epístolas de Paulo revelam uma humildade surpreendente em um temperamento colérico. Uma delas se encontra em Atos 14, quando Paulo e Barnabé são aclamados pelo povo de Listra como se fossem deuses. Revoltados, os apóstolos imediatamente rasgaram suas vestes e asseveraram que eram apenas seres humanos. Pouco tempo depois, Paulo foi apedrejado e deixado como morto, talvez porque algumas pessoas se sentissem desiludidas ou tivessem algum desejo de vingança ao descobrir que aqueles homens que tinham operado milagres eram apenas de carne e osso. Tal oportunidade de se fazer passar por um deus teria sido naturalmente aproveitada e explorada por um colérico carnal.

O Espírito Santo conhecia bem a necessidade que Paulo tinha de humildade, pois após sua visão do céu, relatada em 2Coríntios 12:7, o apóstolo comenta: "Para impedir que eu me exaltasse por causa da grandeza dessas revelações, foi-me dado um espinho na carne, um mensageiro de Satanás, para me atormentar". Embora houvesse orado para que esse "espinho" lhe fosse removido, Deus prometeu que sua graça bastaria para a necessidade de Paulo, e o espinho permaneceu. Essa passagem exemplifica uma adversidade física aprovada pelo Espírito (e inspirada por Satanás!), a fim de manter o cristão humilde e dependente do Senhor. Deus jamais faz algo que não tenha um bom propósito (Rm 8:28). Podemos, pois, concluir que Paulo tinha de esforçar-se para ser humilde, como ocorre à maioria dos cristãos coléricos, orgulhosos e prepotentes por natureza. Quando se recusa a mudar esse traço negativo, as pessoas perpetuam sua imaturidade espiritual e restringem o uso que Deus pode fazer delas.

Jacob Behman, citado por Alexander Whyte, faz a seguinte afirmativa quanto à necessidade que tem o colérico de esforçar-se por ser humilde.

> O homem cuja alma é limitada pelo temperamento colérico deverá, acima de tudo, praticar e exercitar-se a todo instante na humildade, como se fora um atleta. Ele deve, todos os dias, derramar a água fria da humildade sobre as brasas quentes de sua vontade própria. Busca com toda a força mansidão de palavra e pensamento, para que teu temperamento não inflame tua alma. Homem colérico, mortifica teu temperamento e teu gênio, e isso tudo para a glória de Deus.

Quem poderá, depois de ler 2Coríntios e compreender os acontecimentos que inspiraram a epístola, duvidar que o apóstolo colérico tivesse aprendido a ser humilde? Mesmo depois que seus filhos espirituais o repeliram e rejeitaram sua primeira epístola porque ele havia denunciado seus pecados, falou-lhes com carinho, paciência e amabilidade, sem as alfinetadas sarcásticas que caracterizam o colérico natural. Isso só pode ser atribuído ao ministério modificador do Espírito Santo.

Quando o Senhor Jesus falou a Paulo dos céus, dizendo: "Eu sou Jesus, a quem você persegue [...] resistir ao aguilhão só lhe trará dor", Paulo respondeu imediatamente: "Que devo fazer, Senhor?" (At 9:5, 26:14, 22:10). O Senhor o instruiu a levantar-se e ir até a cidade, no que foi imediatamente obedecido. Dali por diante, sua vida foi caracterizada pela obediência instantânea, indicando uma entrega completa ao Espírito Santo.

Paulo entregou sua férrea vontade ao Senhor Jesus na estrada para Damasco. Poucas vezes retomou essa vontade das mãos de seu Mestre. Tinha, pois, o direito de aconselhar outros, como faz em Romanos 6:13: "Não ofereçam os membros do corpo de vocês ao pecado, como instrumentos de injustiça; antes ofereçam-se a Deus como quem voltou da morte para a vida; e ofereçam os membros do corpo de vocês a ele, como instrumentos de justiça".

Cada ser humano recebeu do Senhor o livre-arbítrio, do qual pode fazer uso segundo sua disposição. Paulo decidiu rejeitar a vontade própria e seu potencial instável, aceitando a vontade perfeita de Jesus Cristo. Não podemos sequer imaginar tudo o que estava envolvido nessa decisão instantânea. Como membro do seleto Sinédrio, Saulo, o fariseu, tinha um futuro brilhante. Tendo começado a fazer parte do conselho com tão pouca idade, ele provavelmente teria se tornado um líder importante em Israel, talvez até alcançasse o posto de sumo sacerdote. Quando se entregou a Jesus Cristo, dizia, com efeito: "Estou pondo de lado todos os meus esforços no sentido de obter glória pessoal, todas as oportunidades de adquirir poder pessoal, e rejeitando todo o resultado de meus esforços anteriores, porque tudo estava contra a vontade de Jesus Cristo". A entrega de Paulo era incondicional, uma submissão perfeita.

Alguns cristãos consideram tal decisão um sacrifício excessivo. Um jovem pode temer que, ao entregar sua vida a Jesus Cristo, acabará trabalhando em plena selva ou em uma posição contrária a seus interesses. Isso mostra um conceito deturpado do amor de Deus. Nosso Pai Celeste quer nossa felicidade ainda mais do que nós mesmos. Não conheço um só crente infeliz cuja vida esteja real e totalmente submissa à vontade de Deus, mas conheço muitos crentes frustrados, que não querem entregar a vida a ele.

Quando Paulo tomou essa decisão dinâmica, parecia ter muito a perder. Foi expulso do Sinédrio e seu nome passou a ser motivo de desprezo em Israel. Mas, transformado em Paulo, o apóstolo, ele prosseguiu sob o poder controlador do Espírito Santo e veio a tornar-se o maior nome da história do cristianismo. Quantos dentre os demais membros do Sinédrio você poderá citar pelo nome? A maior parte do mundo já ouviu falar do colérico apóstolo Paulo. A fama não vem, certamente, por meio da consagração a Cristo, mas a realização pessoal só pode vir dessa forma. A vida de Paulo é exemplo claro das palavras de Jesus: "Quem acha a sua vida a perderá, e quem perde a sua vida por minha causa a encontrará" (Mt 10:39). O que você faz de sua vida? Se ela não estiver ainda sujeita ao Senhor Jesus Cristo, sugiro que lhe faça essa entrega e receba de volta cem vezes mais.

6

Moisés, o melancólico

O mais rico de todos os temperamentos é o melancólico. Esse, em geral, possui mente privilegiada e uma tremenda capacidade de experimentar toda gama de emoções. O maior perigo está em se entregar a pensamentos negativos que exagerem suas tendências pessimistas. Alguns dos maiores gênios do mundo foram melancólicos superdotados, que desperdiçaram seus talentos em crises de angústia profunda, tornando-se apáticos e pouco produtivos. Isso jamais deveria ocorrer a um cristão, porque ele tem dentro de si uma fonte de poder que transforma seus pensamentos negativos em positivos, incentivando-o a aproveitar ao máximo seus talentos.

O segredo da motivação encontra-se em nosso processo de pensamentos, e a chave para o padrão adequado é uma vida cheia do Espírito Santo. Uma norma muito simples que ajudará o cristão melancólico é a de avaliar o mérito de todo pensamento negativo, contrapondo-lhe um positivo, lançando mão de Filipenses 4:13. Resultados maravilhosos se seguirão. A evidência de que o cristão melancólico tem em si um imenso potencial pode ser vista na Bíblia, por meio da vida de grandes homens de Deus. Esses homens eram dotados de temperamento melancólico mais frequentemente do que dos outros tipos. Uma lista de melancólicos famosos incluiria Jacó, Salomão, Elias, Eliseu, Jeremias, Isaías, Daniel, Ezequiel, Obadias, Jonas, João Batista, os apóstolos João e Tomé, e muitos outros. Encabeçando essa lista de famosos servos de Deus temos o maior homem da história de Israel, Moisés.

Antes de avaliarmos o temperamento de Moisés, é bom que examinemos os pontos fortes e fracos do temperamento melancólico. Esse temperamento é, de todos, o mais talentoso. É perfeccionista por natureza, muito sensível e apreciador das belas-artes, analítico, abnegado e amigo leal. Em geral não é extrovertido e raras vezes se impõe. Ao lado de seus dotes excepcionais existem também fraquezas igualmente complexas, que muitas vezes se neutralizam. Esse caráter tende a ser genioso, crítico, pessimista e egocêntrico. Os grandes artistas, compositores, filósofos, inventores e teóricos do mundo foram, em sua maioria, melancólicos.

O melancólico Moisés nos fornece excelente material para um estudo analítico dos temperamentos porque as Escrituras nos dão muitas informações a seu respeito. Certos fatores, porém, tornam difícil determinar se algumas de suas atividades foram motivadas pela ação de Deus ou pelas variações de sua personalidade. Primeiramente, ele viveu antes de Pentecostes, quando o Espírito não habitava nos crentes, da forma como habita hoje. Mais importante ainda é que a pessoa melancólica experimenta inúmeras flutuações de humor que nos confundem. É fácil diagnosticarmos seus períodos negros como motivados pela carne, mas às vezes seus períodos brilhantes deixam a impressão de que o Espírito está no comando, quando na verdade não está. Sua verdadeira fonte de controle só poderá ser determinada pela observação de seu comportamento durante certo período de tempo.

O líder de Israel ilustra com clareza a diferença que o poder de Deus exerce na vida de um homem. Depois de ser educado primorosamente durante quarenta anos na sede da cultura egípcia, o brilhante melancólico passou quarenta anos cuidando de animais em um deserto distante. Com oitenta anos ouviu o chamado de Deus da sarça ardente, e durante os quarenta anos seguintes foi um dos maiores líderes da história do mundo. A mudança operada nesse servo de Jeová foi gradativa, por vezes interrompida; em algumas ocasiões foi eletrizante e em outras nota-se até alguma regressão. Tudo isso, porém, confirma o quanto ele era humano. Nas ocasiões em que estava entregue ao Espírito Santo, nos oferece uma ilustração do temperamento melancólico divinamente guiado, enquanto em outras mostra esse temperamento ao natural. Como qualquer cristão dos dias de hoje, Moisés só foi produtivo para Deus quando controlado pelo Espírito Santo.

Talentoso

Os dotes e talentos inerentes a Moisés são evidentes em toda a narrativa bíblica. Em Atos 7, Estêvão, primeiro mártir do cristianismo, nos informa que Moisés "foi educado em toda a sabedoria dos egípcios e veio a ser poderoso em palavras e obras" (v. 22). O Egito era o centro da civilização nos dias de Moisés, e ele absorveu todo o seu conhecimento sem, porém, deixar-se dominar pelas superstições que impregnavam os conceitos daquele povo. Não há traços delas nos escritos de Moisés. Esse não é apenas um testemunho de sua capacidade, como também uma confirmação de que o poder do Espírito Santo operou nele, ao escrever. Seus excelentes dons de caráter e os dons do Espírito Santo são graficamente ilustrados nos primeiros cinco livros da Bíblia. Temos como certo que o Espírito Santo lhe inspirou essas Escrituras, mas a personalidade de Moisés brilha por meio da narrativa bíblica, estabelecendo-o como o intelectual que mais se destaca no Antigo Testamento, assim como Paulo, por seus escritos, é reconhecido como o mais erudito dentre os escritores do Novo Testamento.

Os melancólicos têm capacidade para o desempenho de papéis dramáticos e, em certas ocasiões, são levados a grandes alturas. Não há papel mais bem representado por Moisés do que aquele em que apareceu perante o faraó do Egito, transmitindo a advertência de Deus, sem aparentar nenhuma emoção e convencendo o rei obstinado, com dez pragas milagrosas, a libertar o povo de Deus do cativeiro. Em geral, as pessoas melancólicas ultrapassam as expectativas quando submetidas a esse tipo de pressão, porque a motivação externa impulsiona seus talentos então latentes. Uma vez, porém, retirada a pressão, tendem a voltar à apatia, a não ser que sejam motivadas pelo Espírito Santo.

A habilidade de Moisés em conduzir três milhões de pessoas pelo deserto, controlando-as como juiz, profeta e mediador em relação a Deus, reflete sua natureza excepcionalmente bem--dotada. Mesmo reconhecendo a orientação especial de Deus e sua capacitação divina nesse servo, defrontamo-nos com um homem de imenso talento. Moisés é considerado um dos maiores homens de sua época até por historiadores seculares.

Abnegado

Um dos marcos característicos do temperamento está no desejo de sacrificar-se. Os indivíduos muito melancólicos encontram dificuldades em aproveitar o conforto ou o sucesso sem sentir algum complexo de culpa. Possuem, com frequência, a inclinação de dedicar-se a causas que exijam grande privação pessoal. O dr. Alberto Schweitzer foi um bom exemplo desse temperamento talentoso e abnegado. Ele já se distinguira como músico excepcional e filósofo de grande capacidade quando abraçou a medicina e dedicou sua vida à cura dos enfermos em uma região remota da África. Tipicamente melancólico, escolheu uma área em que as pessoas jamais poderiam compensá-lo de forma adequada por seus serviços.

Um dos gratos resultados do estudo dos temperamentos é a ajuda que se pode prestar a melancólicos quando se trata de tomar decisões. Essas pessoas devem examinar suas tendências ao "autosacrifício" por razões egoísticas! Às vezes, limitam e dirigem mal sua vida em uma atitude de aparente sacrifício, mas que na verdade reverte em proveito próprio — um meio de elevar a autoestima pelo autorebaixamento. Alguns empreendimentos humanitários são realizados como compensação de certas deficiências pessoais, não sendo assim tão nobres quanto aparentam. O serviço e o sacrifício não podem ser depreciados, mas o melancólico deverá examinar suas decisões para averiguar se estão sendo realmente dirigidas por Deus e não motivadas por interesses pessoais.

Sabemos muito pouco do período que se estende entre a adoção de Moisés pela filha de Faraó e a posterior identificação com o próprio povo, quarenta anos depois. Hebreus 11:23-27, porém, revela como Moisés chegou a sua terminante decisão:

> Pela fé Moisés, já adulto, recusou ser chamado filho da filha de Faraó, preferindo ser maltratado com o povo de Deus a desfrutar os prazeres do pecado durante algum tempo. Por amor de Cristo, considerou sua desonra uma riqueza maior do que os tesouros do Egito, porque contemplava a sua recompensa. Pela fé saiu do Egito, não temendo a ira do rei, e perseverou, porque via aquele que é invisível.

Os historiadores judaicos apontam, baseados na tradição, que Moisés foi primeiro-ministro do Egito, e como filho adotivo da filha do Faraó, a única autoridade acima da sua era a do próprio Faraó. Mas escolheu "ser maltratado com o povo de Deus" — uma decisão altamente abnegada. Reconhecemos nessa passagem que Moisés tinha a capacidade espiritual necessária para compreender o valor transitório deste mundo e as riquezas perpétuas do porvir. Baseado nisso, estava disposto a deixar de "desfrutar os prazeres do pecado durante algum tempo", a fim de tornar-se homem de Deus e ganhar uma recompensa eterna.

Todos os cristãos enfrentam essa decisão em outro nível. Parece mais fácil para a pessoa melancólica não se deixar iludir pelas promessas vazias e falsas que este mundo oferece e avaliar corretamente recompensas eternas. Tenho observado que muitos dos missionários que vão trabalhar no estrangeiro possuem um grau de temperamento melancólico acima do normal. Essa característica é um dos motivos que levam muitos missionários bem-dotados a renunciar aos prazeres e aos bens materiais deste mundo a fim de servir a Jesus Cristo nesta terra e aguardar seu "muito bem, servo bom e fiel", além do galardão que "não desvanece, reservado no céu para vós". A vida de Moisés é uma prova de que homem algum sai perdendo quando dá sua vida a Deus.

COMPLEXO DE INFERIORIDADE

Embora os talentos inatos do melancólico sejam provavelmente maiores do que os dos demais temperamentos, eles são muitas vezes negligenciados devido a um excessivo sentimento de inferioridade. Como são perfeccionistas, é raro se satisfazerem tanto com as próprias realizações quanto com as alheias, porque seus altos padrões de perfeição são difíceis de atingir. Sem a ajuda do Espírito Santo, é quase impossível o melancólico receber congratulações ou elogios sinceros. Seja como regente de orquestra, seja como técnico de um time de futebol, ele sempre se lembrará mais de seus erros do que de seu sucesso.

Eu discutia com um editor a respeito das obras de um dos maiores estudiosos hodiernos da Bíblia, cujo temperamento é altamente melancólico. Seu trabalho é tão excelente que os livros se tornam sucesso assim que publicados. Porém, só chegam ao leitor depois de muito tempo. Os prazos de entrega para impressão têm de ser prorrogados porque o autor está constantemente fazendo revisões em seu trabalho. Os manuscritos dos livros parecem já eloquentes para as outras pessoas, mas esse supermelancólico está sempre insatisfeito.

Os pais, ao perceberem essa tendência em uma criança, precisam considerá-la de maneira especial, pois a crítica impressiona profundamente sua natureza sensível e pode levá-la a desistir de tentar corrigir o erro. Quando pedem ao melancólico para fazer algo, seu complexo de inferioridade é ativado com uma série de desculpas. Se for persuadido a tentar, geralmente consegue fazer um trabalho excelente. Quando lhe faltarem desculpas, o melancólico começará a perceber que sua relutância vem de um instinto de autoproteção. Sua aversão a críticas — críticas feitas por ele mesmo ou por outras pessoas — é maior do que o desejo de ver cumprida a tarefa.

As desculpas que Moisés deu ao Deus Todo-Poderoso quando conversaram junto à sarça ardente são um exemplo típico da depreciação que os melancólicos fazem de si mesmos. Examinaremos em detalhes cada uma dessas desculpas para observar como um homem bem-dotado e sincero pode viver muito abaixo de seu potencial. Felizmente, a insegurança de Moisés cedeu, apesar de suas desculpas, e os acontecimentos posteriores provaram que tinha capacidade para fazer até mesmo aquilo de que se julgava incapaz. Uma pessoa melancólica jamais deve confiar somente em seus sentimentos para conduzir-se nas oportunidades que se apresentam para servir ao Senhor. Deve, isso sim, entregar-se à orientação segura de Deus. Então, poderá adotar como lema as palavras de Filipenses 4:13, sabendo que Deus suprirá todas as suas necessidades e lembrando que "se Deus é por nós, quem será contra nós?" (Rm 8:31).

1. Não tenho nenhum talento! Depois de aparecer a Moisés na sarça ardente e revelar-lhe seu plano de conduzir os judeus do Egito a uma terra "que mana leite e mel", Deus disse a Moisés: "Vá, pois, agora; eu o envio ao faraó para tirar do Egito o meu povo, os israelitas" (Êx 3:10). Moisés demonstrou seu complexo de inferioridade respondendo: "Quem sou eu para apresentar-me ao faraó e tirar os israelitas do Egito?". Em outras palavras, Moisés dizia: "Não tenho o mínimo talento". Embora secretamente orgulhoso, como melancólico típico, Moisés depreciava suas habilidades pessoais. Recuava diante da ideia de colocar seus talentos à disposição do Senhor.

Muitos cristãos melancólicos de hoje repetem esse comportamento. Quando um superintendente de escola dominical ou um pastor os convida para fazer algum trabalho, eles se retraem, pensando: "Quem sou eu?" ou então: "Não tenho o mínimo talento". A resposta de Deus a Moisés é válida para o cristão do século XXI, assim como o foi para o líder escolhido de Israel. Deus prometeu: "Certamente eu serei contigo!". Do que mais Moisés precisava?!

Um estudo bíblico relativo à providência divina seria de tremenda ajuda para todo cristão melancólico. Por meio das Escrituras, vemos que, falando a Adão e Eva, Noé, Abraão, Moisés, os profetas ou reis, Deus sempre promete fortalecê-los e guardá-los. E o Senhor Jesus fez a mesma promessa a seus discípulos, pouco antes de deixar esta terra.

Em Mateus 28:18-20, depois de dar a grande comissão, ordenando aos crentes que pregassem o Evangelho a toda criatura em todo o mundo, Jesus conclui: "[...] e eu estarei sempre com vocês, até o fim dos tempos". Que maior segurança do que essa poderia exigir o melancólico em luta contra seu complexo de inferioridade? Se você, como cristão melancólico, tem a tendência de rejeitar as oportunidades de serviço cristão, sugiro que se lembre da promessa divina: "Certamente eu serei contigo!". Na verdade, desde que Deus habita em nós na pessoa de seu Espírito Santo, não precisamos sequer de talento para servi-lo; devemos simplesmente submeter-nos a sua orientação.

2. Não conheço teologia. A segunda desculpa foi tão frágil quanto a primeira. Moisés supôs que o povo de Israel poria em dúvida sua missão divina quando tivesse de conduzi-lo para fora do Egito e perguntou: "Que lhes direi?". Ele fora treinado nas artes dos egípcios, mas ainda não fora instruído nos princípios de Deus e sabia que muitos dos israelitas criados na terra de Gósen tinham sido educados na fé de seus antepassados.

Muitos cristãos modernos alegam ignorância como uma desculpa para não dar seu testemunho a favor de Cristo. Antes de contar a outros o que Jesus Cristo fez por eles, começam a imaginar a possibilidade de um cético inventar uma pergunta filosófica ou teológica a que não possam responder, e assim não chegam nem sequer a tentar. Jesus preparou os setenta mensageiros do Reino, assegurando-lhes: "[...] naquela hora lhes será dado o que dizer, pois não serão vocês que estarão falando, mas o Espírito do Pai de vocês falará por intermédio de vocês" (Mt 10:19-20).

O Senhor Deus revelou-se a Moisés como soberano, onipotente e imutável ao dizer: "Eu sou o que sou". Então prosseguiu, informando-o ser ele o Deus de Abraão, Isaque e Jacó, que prometeu livrar Israel, e que Moisés deveria repetir-lhes essas promessas.

De maneira palpável, é isso que os cristãos de hoje fazem ao partilhar sua fé, ajudar os necessitados e tomar o partido da justiça na sociedade. Revelamos a natureza de Deus como nos foi revelada em sua Palavra e transmitimos suas promessas aos homens espiritualmente perdidos. Tendo o Espírito Santo como nosso instrutor pessoal, e a Palavra de Deus em uma versão de fácil compreensão, qualquer cristão pode servir a Deus, mesmo antes de conhecer completamente a Bíblia. Não é necessário ter um curso bíblico nem ser formado em um seminário para conduzir uma pessoa a Jesus Cristo. Qualquer crente verdadeiro que conheça versículos como João 3:16 e outros semelhantes pode fazê-lo. Não é questão de quanto sabemos, mas de quanto nos importamos. Alguém já disse que a chave do sucesso na vida cristã não está na habilidade, mas na disponibilidade.

3. *Ninguém acreditará em mim!* "Moisés respondeu: E se eles não acreditarem em mim nem quiserem me ouvir e disserem: O Senhor não lhe apareceu?" (Êx 4:1). O medo de ser rejeitado faz parte do complexo de inferioridade do temperamento melancólico. Moisés revela esse medo em sua desculpa, contradizendo diretamente a promessa de Deus, que prometera: "As autoridades de Israel o atenderão" (3:18). Poderia ser mais explícito?! Deus afirmou a Moisés que Israel acreditaria nele, mas Moisés preferiu lembrar a rejeição que sofrera quarenta anos antes, por parte de alguns israelitas que ele tentara ajudar (Êx 2:11-15). Naturalmente, sentia que seria de novo rejeitado.

O fracasso é uma experiência devastadora para os melancólicos. Desse momento em diante, seus sentimentos de inferioridade aumentam, e eles passam a ter pavor de fazer qualquer nova tentativa, para que não se repitam os resultados desastrosos.

Justamente aqui, o melancólico deveria examinar com cuidado um hábito que lhe é natural, o de pensar mais em si do que na causa de Cristo e nas necessidades do próximo. Um dos melhores meios de fuga dessa prisão está em focalizar a atenção sobre o campo preparado para a ceifa no mundo, que Jesus disse estar aguardando obreiros espirituais.

Sem dúvida o trono de julgamento de Jesus revelará um triste número de cristãos que negaram ao Espírito Santo a chance de levá-los a partilhar sua fé por medo de não serem ouvidos. Esse temor é totalmente egoísta. Quanto mais cedo for reconhecido como pecado, mais depressa experimentaremos o poder do Espírito Santo. Não somos responsáveis pelo sucesso ou pelas falhas de nosso testemunho; temos apenas de dar esse testemunho.

4. Não posso falar em público! A quarta desculpa é frequentemente usada pelos crentes de hoje em dia. Nas palavras de Moisés: "Nunca tive facilidade para falar [...] Não consigo falar bem". Todo pastor e professor de escola dominical já ouviu essa desculpa, de uma ou de outra forma. A resposta de Deus a Moisés é hoje tão pertinente quanto o foi no passado. "E disse-lhe o Senhor: Quem deu boca ao homem? Quem o fez surdo ou mudo? Quem lhe concede vista ou o torna cego? Não sou eu, o Senhor? Agora, pois, vá; eu estarei com você, ensinando-lhe o que dizer" (Êx 4:11-12). A questão, disse Deus, não é o que você pode fazer, mas o que eu posso fazer. Como frequentemente acontece, pessoas dotadas de grande inteligência e capacidade para o estudo não são loquazes, mas também não dizem coisas inexpressivas. Embora os melancólicos não sejam, talvez, dinâmicos e carismáticos como os sanguíneos, o Espírito Santo certamente pode transformá-los em pregadores eficazes.

A desculpa sem sentido de Moisés não só o privou do poder de Deus, como também o fez se submeter a um assistente, seu irmão Arão, o que, em lugar de ajudá-lo, o prejudicou. Moisés não era grande orador, mas ser escolhido para pregar ou ensinar a Palavra de Deus não depende de eloquência —, mas sim de obediência. A resposta do Senhor a Moisés revela claramente que o sucesso espiritual é alcançado pelo poder de Deus e não por nosso potencial ou talento. O cristão melancólico pode provar o poder do Deus vivo, confiando em sua orientação e esquecendo-se dos próprios sentimentos de insuficiência.

Como pastor que trabalha ativamente junto à mocidade da igreja, tenho me esforçado por encorajar muitos jovens melancólicos a considerar o ministério evangélico. Não temos maior necessidade de pastores de temperamento melancólico do que de outros, mas muitas vezes os moços com essa personalidade pensam que não possuem as qualificações para a pregação por serem mais inibidos do que seus colegas sanguíneos e coléricos. Esses jovens precisam perceber que o dom da oratória pode ser cultivado. Assim como os estudantes de caráter mais expansivo têm de se disciplinar a fim de saber o *que* devem dizer, o melancólico requer treinamento a fim de aprender como dizer aquilo que deve. De acordo com sua natureza, este estabelecerá um padrão alto para seu estudo e se esforçará no preparo de sermões superiores.

Um velho pastor, que teve profunda influência em minha vida, surpreendeu-me revelando que, quando rapaz, resistiu ao chamado de Deus para pregar o Evangelho por ser muito gago. Finalmente resolveu ir para a faculdade, com a fé de que Deus removeria seu empecilho. Quando o conheci, anos depois, e pude ouvi-lo falar muitas vezes, em nenhuma ocasião percebi dificuldades na dicção. Ninguém ficaria sabendo do fato, caso ele mesmo não o tivesse contado. A providência de Deus não pode ser medida pela incapacidade do homem.

5. Não quero ir. A indecisão e a falta de praticidade do melancólico são reveladas na última desculpa de Moisés, que lhe custou a ira do Senhor. “Respondeu-lhe, porém, Moisés: Ah, Senhor! Peço-te que envies outra pessoa” (4:13). Em outras palavras: “Ficaria muito grato se o Senhor mandasse outra pessoa”. Isso revela o verdadeiro motivo por que Moisés rejeitava a liderança de Israel: simplesmente não queria aceitá-la. As pessoas melancólicas tendem a apegar-se a preconceitos quando enfrentam situações desfavoráveis. Uma vez tomada a decisão de que não podem fazer algo, nem mesmo um bom argumento as faz mudar de ideia. Deus havia realizado milagres para Moisés, respondido a cada uma de suas dúvidas e ainda lhe concedido o poder de realizar milagres, mas o homem, mesmo assim, pediu que enviasse outra pessoa em seu lugar porque não queria ir. Estava prestes a recusar a maior oportunidade que já lhe fora oferecida. Só diante da insistência de Deus e do oferecimento de um assistente é que Moisés decidiu-se a aceitar a tarefa.

É possível que essa quinta desculpa de Moisés esteja revelando sua hostilidade e amargura acumuladas durante os quarenta anos de seu isolamento no deserto. Do ponto de vista humano, é perfeitamente compreensível que tivesse sentido profundo ressentimento ao se ver rejeitado por seu povo, quando se dispôs a deixar os prazeres e o prestígio de sua posição de líder no Egito por amor deles. Tenho a impressão de que esse foi um dos fatores que o levaram a tentar fugir do chamado de Deus. Pessoas sensíveis e melancólicas ficam preocupadas e têm complexos de perseguição em prejuízo próprio. A incapacidade de Moisés para tomar uma decisão sensata na presença de Deus foi provavelmente causada por ele ter tido, durante quarenta anos, um padrão de raciocínio falho. Isso envenena o bem-estar emocional de qualquer temperamento, sobretudo o do melancólico. Tais sentimentos são pecaminosos e não devem ter lugar no coração do crente. Devem ser confessados e substituídos por ações de graças e por fé, a fim de manter comunhão com Deus (1Ts 5:18).

Uma boa higiene mental e espiritual para todo temperamento, em especial para esse, é recusar-se a dar lugar a pensamentos negativos ou críticos. Perfeccionista por natureza, o melancólico critica severamente aqueles que não concordam com suas ideias, e não há quem seja capaz de sentir maiores amarguras ou nutrir maiores ressentimentos do que ele. Tal ingratidão não só entristece ao Espírito Santo, como também produz uma personalidade muito desagradável.

A amargura de Moisés nos leva a perceber quão grande é o poder do perdão. Já conheci pessoas tão cheias de ódio que não conseguiam sequer pensar racionalmente, e algumas, inconscientemente, transferiam esse ódio para aqueles a quem de fato amavam. Uma das principais causas da impotência sexual em homens saudáveis é esse sentimento. Pode ser uma aversão inconsciente pela mãe crítica e dominadora ou por uma mulher que tenha rejeitado seu amor, mas tal disposição é capaz de matar o desejo normal em relação à esposa a quem na verdade amam. Conheci homens que ficaram curados no momento em que se ajoelharam, confessando a Deus seu ódio, pedindo que lhes desse disposição para perdoar. O perdão remove todo o câncer espiritual.

Não é difícil para um cristão encontrar o remédio para pensamentos negativos e absurdos. Basta reconhecer a amargura, hostilidade e os maus pensamentos com relação às outras pessoas como pecados e confessá-los. O crente será então liberto do poder dessas faltas e perdoado por Deus. Um novo padrão de pensamentos é estruturado, concentrando-se nas coisas boas e no bom propósito de Deus em tudo. Não devemos ficar desanimados se a transformação não for imediata, porque um molde ou modelo é constituído de muitas peças. Um excelente texto para ter em mente e seguir é Filipenses 4:8: "Finalmente, irmãos, tudo o que for verdadeiro, tudo o que for nobre, tudo o que for correto, tudo o que for puro, tudo o que for amável, tudo o que for de boa fama, se houver algo de excelente ou digno de louvor, pensem nessas coisas".

As desculpas de Moisés, que revelam seu complexo de inferioridade, foram todas baseadas em mentiras. Embora lhe parecessem razoáveis, nenhuma era válida — nem útil. Tais sentimentos restringem a força de qualquer indivíduo. Se você for dominado por um complexo de inferioridade, está limitando a ação de Deus por meio da incredulidade. Uma de suas grandes necessidades é, portanto, a fé que vem pela Palavra de Deus por intermédio do Espírito Santo. É um dom que está a sua disposição e cresce "de fé em fé", à medida que nos submetemos à orientação de Deus, passo a passo, até o destino por ele designado.

A ira de Moisés

Além do medo, a ira reprimida com frequência espreita esse caráter. A incapacidade de Moisés em controlar a ira marcou sua vida em diversas ocasiões, a ponto de custar-lhe a alegria de entrar com seu povo na Terra Prometida. Essa raiva profunda não só entristece ao Espírito de Deus, como também pode destruir a saúde de uma pessoa. É solo fértil onde cresce a irritabilidade.

Ao ler as Escrituras, note trechos como: "Moisés irou-se contra eles" (Êx 16:20) e "[...] irou-se[...]" (Êx 32:19). Nem toda a ira é censurável, mas a ira autoindulgente desagrada a Deus e leva a graves pecados.

Surpreendentemente, Moisés se inflamou, irado, após ter passado muitos dias na presença de Deus, na montanha onde o Senhor escrevera os Dez Mandamentos e lhe entregara a Lei de Israel. Quando voltou ao acampamento e encontrou o povo em festas imorais e pagãs, ficou tão zangado que "[...] jogou as tábuas no chão, ao pé do monte, quebrando-as" (Êx 32:19). Essa pode ter sido uma ira justa contra o mal, mas a tendência de Moisés para esse comportamento, quando não controlada, produzia pecado.

As ações motivadas pela ira em geral causam problemas e aumentam as dificuldades. Tiago 1:20 nos diz: "[...] pois a ira do homem não produz a justiça de Deus". A ira deve conduzir a uma ação justa para que Deus seja servido.

Podemos imaginar a tremenda pressão emocional que Moisés sofreu durante a viagem pelo deserto. Os israelitas sentiam calor, estavam famintos e descontentes e descarregavam sua frustração sobre ele sempre que ficavam insatisfeitos com a provisão de Deus. Poucos homens sofreram pressões como essa, durante um período de tempo tão longo. Nenhuma pessoa compreensiva criticaria Moisés por se irritar com aquele povo ingrato, mas o Deus Todo-Poderoso assim o fez. O Senhor havia oferecido a Moisés orientação e todo o poder necessário, contudo o desprezo de Moisés por essas dádivas resultou em uma autoafirmação pecaminosa que prejudicou seu testemunho e provocou o juízo de divino.

Quase no fim de seu exílio no deserto, quando a irritação de Moisés estava no auge, o povo o assediou com queixas. Em Números 20:3-5, temos o relato do rude ataque verbal que fizeram:

> Quem dera tivéssemos morrido quando nossos irmãos caíram mortos perante o SENHOR! Por que vocês trouxeram a assembleia do SENHOR a este deserto, para que nós e os nossos rebanhos morrêssemos aqui? Por que vocês nos tiraram do Egito e nos

> trouxeram para este lugar terrível? Aqui não há cereal, nem figos, nem uvas, nem romãs, nem água para beber!

A reação inicial de Moisés é descrita nos versículos 6-8:

> Moisés e Arão saíram de diante da assembleia para a entrada da Tenda do Encontro e se prostraram, rosto em terra, e a Glória do Senhor lhes apareceu. E o Senhor disse a Moisés: Pegue a vara, e com o seu irmão Arão reúna a comunidade e diante desta fale àquela rocha, e ela verterá água. Vocês tirarão água da rocha para a comunidade e os rebanhos beberem.

Então a natureza melancólica de Moisés explodiu de ira (v. 9-12):

> Então Moisés pegou a vara que estava diante do Senhor, como este lhe havia ordenado. Moisés e Arão reuniram a assembleia em frente da rocha, e Moisés disse: "Escutem, rebeldes, será que teremos que tirar água desta rocha para lhes dar? Então Moisés ergueu o braço e bateu na rocha duas vezes com a vara. Jorrou água e a comunidade e os rebanhos beberam. O Senhor, porém disse a Moisés e a Arão: "Como vocês não confiaram em mim para honrar minha santidade à vista dos israelitas, vocês não conduzirão esta comunidade para a terra que lhes dou.

Embora a veemência de Moisés possa parecer insignificante, ele desobedeceu claramente ao mandamento expresso de Deus para falar à rocha. O plano de Deus era mostrar sua provisão graciosa em resposta às necessidades do povo, mas a ação impetuosa de Moisés estragou tudo! Com uma acusação imperativa ao povo, bateu duas vezes na rocha e a água jorrou.

Em vez de transmitir a graça e o poder de Deus, Moisés lhes comunicou a própria ira e a própria justiça. Seu mau exemplo encurtou sua vida e sua liderança, porque Deus declarou que ele não entraria na Terra Prometida. Foi-lhe dado contemplar a Terra, do alto da montanha, pouco antes de morrer, mas um novo líder menos marcado do que ele tomou lugar à frente do exército de Israel.

A ira não confessada continua prejudicando o povo de Deus. Entristece e apaga o Espírito, priva os crentes das recompensas eternas e até mesmo encurta vidas (1Co 11:30-32). Conheci um missionário de temperamento melancólico que morreu muito prematuramente porque se recusou a admitir que sua ira fosse pecado. Ele culpava todos ao seu redor, remoía a própria tristeza e morreu de uma dose maciça de bílis preta, antes mesmo de atingir a meia-idade. Não vale a pena uma atitude assim! A amarga experiência de Moisés, se nos servir de lição, poderá fazer-nos lucrar e desfrutar as maiores bênçãos de Deus nesta vida e no porvir. Devemos buscar a graça transformadora do Espírito Santo em vez da ira para enfrentar qualquer situação adversa.

A depressão de Moisés

Moisés é um dos três grandes servos de Deus que ficaram deprimidos a ponto de se desesperar da vida e pedir a Deus que lhes permitisse morrer. Os outros dois foram Elias (1Rs 19) e Jonas (Jn 4:1-3). O maior problema do melancólico é a depressão. Algumas desculpas impressionantes são feitas para justificar esse problema, mas, como mostrei no capítulo sobre o assunto, em meu livro *Temperamento controlado pelo Espírito*, a depressão é o resultado emocional da autopiedade. Não importa qual sua personalidade, se tiver dó de si mesmo, ficará deprimido. As pessoas melancólicas sofrem maior depressão porque tendem a sentir mais autopiedade do que as demais. Podem mostrar-se delicadas e bondosas exteriormente, mas ao mesmo tempo sofrem de autopiedade que, se nutrida durante muito tempo, poderá transformar-se em complexo de perseguição ou em um estado de completa apatia.

Números 11:10-15 relata a depressão de Moisés, para nossa admoestação e nosso proveito. Vemos ali a linha de pensamento do líder cuja ira se avolumara a cada momento. Em vez de confiar na providência de Deus, quando o povo se queixou do pão do céu chamado maná, passou a ter pena de si mesmo. "Por que trouxeste este mal sobre o teu servo? Foi por não te agradares de mim, que colocaste sobre os meus ombros a responsabilidade de todo esse povo?", gemeu Moisés. Quão humano e quão errado! Deus jamais pediu a Moisés que suportasse todo aquele peso ou responsabilidade, que eram dele! Moisés cultivou de tal forma a autopiedade que pediu ao Senhor: "Se é assim que vais me tratar, mata-me agora mesmo; se te agradas de mim...".

Você já se sentiu tão sobrecarregado que teve vontade de morrer? Se for o caso, creio que não era tanto o peso de seu fardo que o esmagava, mas sua atitude. A atitude estrutura os pensamentos que, por sua vez, produzem os sentimentos. Se você tiver sempre uma postura de gratidão a Deus, não se sentirá deprimido; mas ao concentrar-se nas circunstâncias desfavoráveis, se entristecerá com frequência. Lembre-se de que a reação de Moisés diante dos acontecimentos foi o que causou sua queda e não as circunstâncias em si mesmas. Deus promete nos apoiar em todas as ocasiões, e, uma vez que ele não pode falhar, é nossa recusa em acreditar e nos apropriar de seu oferecimento que produz em nós a autopiedade e a depressão.

Um aspecto positivo dessa história está no fato de Deus ter ignorado o pedido de Moisés. Evidentemente, o servo melancólico confessou seu pecado de autopiedade, porque Deus continuou a usá-lo ainda durante muitos anos. Isso deve dar esperança aos santos deprimidos que, como Moisés, têm orado pela morte. Deus nos perdoa e faz uso de nossa vida. Ele fez o mesmo com Elias e Jonas. Quem, contudo, se encontra em profunda depressão, terá de decidir-se: ou dará graças, não considerando as circunstâncias, como Deus ordenou, ou continuará sentindo autopiedade. É você quem resolve se quer ou não ser curado, e Cristo espera essa decisão para perpetrar a cura.

O perfeccionismo de Moisés

Como melancólico, Moisés era perfeccionista. Apesar de momentos de carnalidade, como os que mencionamos acima, seus talentos estavam entregues nas mãos de Deus. A segunda metade de Êxodo e os livros de Números e Levítico revelam como Deus usou essas características. O Senhor deu a Moisés os meticulosos detalhes de suas leis: a lei cerimonial, a lei administrativa e a instrução do sacerdócio. Ofereceu também as medidas específicas e os materiais exatos para a construção do tabernáculo, o centro de adoração dos israelitas por centenas de anos. O padrão divino de justiça é tão exato que somente um melancólico cheio do Espírito poderia ser seu instrumento para tal tarefa. A graça de Deus, agindo por intermédio do perfeccionista Moisés controlado pelo Espírito, proporcionou ao povo israelita o tabernáculo, um dos principais instrumentos de bênção na época do Antigo Testamento. Deus está sempre buscando essas características a fim de abençoar a vida dos homens.

Um resultado desse perfeccionismo é provavelmente a dificuldade que o melancólico tem de delegar autoridade e tarefas. Uma boa ilustração dessa característica na vida de Moisés está no capítulo 18 de Êxodo. Seu sogro, Jetro, foi visitar Moisés e a filha, encontrando o genro tão ocupado na administração das leis, que quase não podia ocupar-se da própria família. Moisés era tão consciencioso que estava tentando ajudar a todos que o procuravam. Trabalhando de manhã à noite, voltava para sua tenda, exausto. Jetro o aconselhou: "O que você está fazendo não é bom. Você e o seu povo ficarão esgotados, pois essa tarefa lhe é pesada demais. Você não pode executá-la sozinho" (18:17-18). Ele aconselhou então Moisés a escolher homens qualificados, dividindo assim a população em pequenos grupos e deixando que esses homens liderassem cada um o seu grupo. Moisés seguiu esse conselho e todos saíram lucrando!

Essa história é usada em cursos de administração de empresas para exemplificar como resolver um problema de organização. Grande parte do gênio criativo do melancólico se perde porque ele reluta em delegar o trabalho a ser feito. Em geral, o motivo é uma desconfiança inata da capacidade alheia, que o leva a fazer tudo por si mesmo. D.L. Moody costumava dizer: "Em vez de fazer o trabalho de dez homens, faça dez homens trabalharem". Motivado pelo Espírito Santo, o melancólico desviará os olhos dos detalhes e os colocará sobre projetos importantes. À medida que a visão de um mundo perdido se agrava em seu coração e sua mente, ele dará valor à tarefa de estimular outras pessoas, deixando de lado a ideia de continuar como orquestra de um só músico. É possível que tenha de aceitar um trabalho inferior a seu padrão de perfeição, mas o resultado final será uma produtividade bem maior para a causa de Cristo. O programa de reorganização de Moisés livrou-o dos detalhes, dando-lhe assim tempo para as coisas de maior importância.

Alguns homens admitirão: "Mas eu gosto de fazer as coisas do meu jeito". Embora façam excelente trabalho sozinhos é apenas uma fração do que poderiam fazer se confiassem em Deus e em outras pessoas. Conheço um homem que faz o trabalho de três pessoas, mas se não temesse a rejeição e não tivesse um baixo conceito da capacidade alheia, poderia delegar autoridade e fazer o trabalho de dez. Quando lhe falam sobre isso, ele fica na defensiva e protesta: "Não conseguimos encontrar pessoas adequadas" ou "Tenho medo de que outras pessoas façam a coisa errada e eu tenha de refazer". Em contraste, o melancólico cheio do Espírito pensará de maneira grandiosa. A maior parte das pessoas tem a visão muito estreita, sendo essa uma fraqueza especial desse temperamento.

A lealdade de Moisés

Um dos traços mais admiráveis do melancólico é sua lealdade e fidelidade. Embora não lhe seja fácil fazer amigos, é intensamente leal àqueles que adquire. Essa característica o torna devotado a Deus de maneira especial quando cheio do Espírito. Quando Moisés entregou sua vida a Deus e se deixou guiar pelo Espírito Santo, tornou-se exemplo dessa dedicação. Foi de tal forma transformado que, de homem inseguro, desconfiado, pessimista, impulsivo e deprimido, passou a representar a imagem de um pai responsável para o povo que aceitou sua liderança. À medida que Moisés andava com Deus, os israelitas o acompanhavam.

A devoção de Moisés parece ter crescido durante os quarenta anos que serviu a Deus. Quando os problemas surgiam, ele buscava a orientação divina. Quando precisaram que as águas do mar Vermelho se abrissem, ele as tocou com sua vara em nome do Senhor, e miraculosamente Deus separou as águas (Êx 14). Quando o povo se queixou de fome, Moisés orou e Deus respondeu com o maná dos céus (Êx 16). Quando precisaram de água, ele bateu na rocha e Deus os supriu em abundância (Êx 17). Sua fé é um tributo àquilo que Deus pode fazer com um temperamento temeroso, negativo, melancólico, quando dedicado a sua vontade.

As informações são tão completas quanto à vida e ao ministério de Moisés que seria bom estudar os textos referentes a Êxodo 1—20, 24:9-18, 32—34 e o livro de Números. O poder transformador do Espírito Santo é demonstrado em quase todas as páginas. Isso não significa que Moisés fosse perfeito. Você encontrará diversas falhas em sua vida, indicando que era muito humano durante os anos em que serviu a Deus. Naturalmente, é isso que torna a Bíblia um livro tão digno de fé: ela mostra o sucesso e o fracasso de seus heróis, porque, como se diz hoje: "assim é". Deus não usa homens perfeitos, porque não existem, mas emprega homens que confiam nele. Todo servo bem-sucedido de Deus tem de sair do fracasso em algum ponto da vida, confessar sua incredulidade e pedir que Deus o utilize uma vez mais.

Mesmo os maiores cristãos cheios do Espírito provaram sua humanidade pelo fracasso. Quase todo grande santo que eu conheço admite ter pedido perdão a algum irmão por alguma coisa dita ou feita. Moisés é bom exemplo de um temperamento cheio do Espírito, não porque fosse perfeito, mas porque na maior parte do tempo deixou-se moldar por Deus. A falha dos cristãos melancólicos na busca de perfeição frequentemente leva a outro erro: "Se não posso ser perfeito, não adianta tentar". E desistem. Para crédito de Moisés, embora tivesse caído muitas vezes, sempre confessava seus pecados, entregava novamente a vida a Deus e seguia em frente como melancólico-transformado. Deus quer realizar o mesmo em todas as vidas. Agora mesmo, em vez de remoer suas fraquezas, agradeça a Deus pelo poder dele em sua vida e confie nele para sua transformação.

7

Abraão, o fleumático

As pessoas de mais fácil convivência são as fleumáticas. A natureza calma e sossegada as torna benquistas por todos; a agudeza de espírito e o senso de humor fazem de sua presença um prazer. Os fleumáticos se enquadram bem no título "sr. Simpatia" onde quer que estejam. Geralmente, são pessoas tão boas que, mesmo antes de se converterem, agem mais como crentes que os convertidos de outros temperamentos.

Além de o fleumático ser calmo e acessível, é também agradável e, portanto, trabalha muito bem em equipe. É eficiente, conservador, digno de confiança, espirituoso e tem a mente sempre voltada para o lado prático das coisas. Por ser um tanto introvertido, seus defeitos, assim como suas qualidades, não são tão perceptíveis quanto os dos temperamentos mais expressivos. Mas as fraquezas existem, e a maior delas é a falta de motivação. O fleumático chega até a ser displicente com relação ao trabalho e tende a ser intransigente, pão-duro e indeciso. Tem a capacidade de olhar a vida como mero espectador, evitando a todo custo envolver-se com as coisas. Os fleumáticos revelam-se bons diplomatas porque são pacificadores por natureza. Muitos são professores, médicos, cientistas, humoristas, escritores e editores de livros e revistas. Quando motivados externamente, podem tornar-se líderes muito capazes.

Em meu trabalho de observador profissional, concluí que, cheios do Espírito e assim motivados corretamente, os fleumáticos têm um êxito incomum como servos de Cristo. Jamais se oferecem como líderes, mas têm capacidade latente de liderança e, por suas maneiras eficientes e gentis para com o próximo, não criam conflitos.

Há alguns anos escolhi uma professora para liderar a Escola Bíblica de Férias de minha igreja. Ela era predominantemente colérica e desempenhou o trabalho com a intensidade característica de seu temperamento. Tivemos uma excelente escola naquele ano, funcionando com excepcional perfeição e eficiência. No trato com as pessoas, porém, a professora era um tanto rude e provocava conflitos. No ano seguinte, tivemos dificuldade em conseguir pessoas para aquele setor. Naquela época eu começara os primeiros estudos sérios sobre os temperamentos. Como resultado, passei a respeitar cada vez mais o fleumático como fonte ainda não aproveitada de ajuda. Em lugar de desistir de ter uma educadora treinada profissionalmente para nossa escola bíblica, pedi que o Departamento de Educação Cristã da igreja procurasse alguém de temperamento fleumático para essa tarefa. A pessoa indicada relutou um pouco em aceitar — como era de esperar de uma fleumática —, mas nós insistimos. Por fim, ela concordou, e ficamos encantados com os resultados. Não só tivemos uma escola bem planejada e eficiente como também uma diretora com quem era muito fácil trabalhar. Não encontramos a mínima dificuldade em fazer outras pessoas participarem tão logo ficavam sabendo que ela seria a superintendente.

Quando se procura motivar um fleumático é importante lembrar que não devemos aceitar um não como resposta. Ao mesmo tempo, não devemos forçá-lo excessivamente; caso contrário, o fleumático vai mostrar-se inflexível e obstinado, apesar de sua gentileza, resistindo a todas as investidas. Apresente seu caso e espere ser recusado — pelo menos da primeira vez. Deixe a porta aberta e retraia-se, dando-lhe tempo para pensar e orar, com calma e respeito. Fale sobre o assunto de vez em quando, mas não o pressione para uma decisão rápida, encoraje-o e seja tão objetivo quanto possível. Você não pode enredá-lo com astúcia, nem tentar "hipnotizá-lo" para que concorde, mas se apelar para seu senso de responsabilidade cristã, ele aos poucos corresponderá ao que lhe foi pedido.

Durante anos deixei de lado os fleumáticos porque pareciam não corresponder a meu entusiasmo. Erroneamente interpretava suas características como uma forma de desinteresse. É verdade que eles não se entusiasmam muito com nada, mas isso não indica falta de capacidade.

Fazendo um retrospecto dos últimos cinco anos em que tenho procurado empregar fleumáticos no serviço do Senhor, confesso que estou muito contente com os resultados. Embora tivessem demorado um pouco mais para aceitar o compromisso, a maioria continua desempenhando o trabalho com eficácia e persistência. Os sanguíneos se apresentavam logo com seu habitual entusiasmo, mas, como acontece com o gelo, em breve começaram a derreter sob o calor do serviço rotineiro. Os coléricos se ofereceram e fizeram um bom serviço, mas temos tido a necessidade de atender, por toda a igreja, algumas vítimas da violência emocional de suas línguas cáusticas. Os melancólicos que puderam ser persuadidos a pensar nos outros o suficiente para se decidirem a servir têm também, no geral, se afastado em pouco tempo. Criticam a maneira como fazemos as coisas porque não alcançamos seus padrões de perfeição ou então ficam ofendidos com a agitação da escola dominical, ou as brincadeiras dos jovens e saem de circulação no primeiro período de humor negro.

Isso não acontece com os fleumáticos! Semana após semana lá estão em seu posto de trabalho, departamento ou grupo de mocidade, organizando tudo em silêncio e servindo com eficiência e bom humor. Isso acontecerá se, de início, você conseguir motivá-los. Oh, sim, há honrosas exceções nessa lista negativa de falhas temperamentais. Essas exceções são os sanguíneos, os coléricos, os melancólicos e os fleumáticos controlados pelo Espírito. À medida que o Espírito de Deus os transforma, demonstram perseverança e bons frutos em seu temperamento. É isso que torna o trabalho com cristãos na igreja local uma experiência tão compensadora e extraordinária.

Para alegria dos fleumáticos que lerem essa parte, quero oferecer uma sugestão especial. Ainda não encontrei alguém com esse caráter que tomasse para si mais do que consegue realizar. Já que você se inclina naturalmente a proteger-se, ore com sinceridade diante de uma nova oportunidade antes de recusá-la. Examine suas justificativas de não envolvimento, para ver se trata-se de uma orientação do Espírito Santo ou de seu egoísmo. Dizer a si mesmo: "Há tantos que podem fazer um trabalho melhor do que eu", pode ser uma forma de egoísmo. A maioria dos fleumáticos tem medo de falhar perante os outros; assim, eles relutam em lançar-se às águas do serviço onde outros podem observar seu naufrágio. Esqueça esse modo de pensar! Peça a orientação de Deus, e se ele conduzi-lo àquele trabalho, tome a responsabilidade e confie nele a fim de suprir a capacidade para a obra. Filipenses 4:13 diz que você pode fazê-lo. Visto que a maioria dos fleumáticos subestima sua capacidade, você deve memorizar esse versículo e aprender a confiar no poder do Senhor em vez de se fixar em seus temores fleumáticos. Você ficará maravilhado com o que pode se tornar esse temperamento, quando completamente entregue à vontade divina.

> Da mesma forma, considerem-se mortos para o pecado, mas vivos para Deus em Cristo Jesus. Portanto, não permitam que o pecado continue dominando os seus corpos mortais, fazendo que vocês obedeçam aos seus desejos. Não ofereçam os membros do corpo de vocês ao pecado, como instrumento de injustiça; antes ofereçam-se a Deus como quem voltou da morte para a vida; e ofereçam os membros do corpo de vocês a ele, como instrumentos de justiça
>
> Romanos 6:11-13

A falta de motivação, característica do fleumático, é discutida com sagacidade e sátira por Alexander Whyte em suas notas sobre os temperamentos. Incluímos aqui essa citação um tanto longa, mas muito elucidativa para sua apreciação:

> A indolência, em uma só e expressiva palavra, resume o lado negativo desse temperamento. Uma parte daquilo que chamamos de indolência em alguns homens faz parte tão integrante da constituição fleumática que seriam necessárias a vontade e a energia de um gigante para vencê-la. Existem homens cujo coração funciona tão lentamente que o sangue rasteja pelas veias a passo de lesma, suas juntas são tão frouxas e seu corpo é tão letárgico que tanto Deus quanto o homem precisam levar tudo isso em consideração antes de condená-los. Quando temos de dizer indolência, nesse caso levamos em consideração tudo o que possa ser tido como atenuante, e o homem fleumático não será condenado por aquilo que não pode deixar de ser. Só será repreendido pelo que bem poderia ter alcançado se apenas tivesse se resolvido a tanto. Ao mesmo tempo, indolência é indolência, preguiça é preguiça; não importa qual seja seu temperamento. A preguiça, na verdade, não é do corpo; é da mente. Na verdade,

não é o temperamento que faz naufragar a vida de tantos de nossos estudantes e pastores.

O pastor fleumático não trabalhou no domingo mais do que alguns membros de sua igreja trabalharam a semana toda. Mas ele é ministro, não tem outro patrão além da própria consciência; assim, descansa na segunda-feira lendo o jornal ou um romance. No dia seguinte de manhã ele estudará o sermão, e à tarde visitará seus doentes. Mas na manhã seguinte ele pode não estar se sentindo bem, e à tarde chove. Na quarta-feira ele verifica que ainda restam quatro dias pela frente e, entretanto, sua correspondência está muito atrasada; há quinze dias que não responde a uma carta sequer. Um amigo chega para visitá-lo na quinta-feira. Mas, que importa? Tem ainda toda a sexta e o sábado, que serão para ele dias sagrados nos quais se manterá fechado em seu trabalho. Na sexta-feira à tarde, contam-lhe que seu presbítero que estava doente morreu, e durante todo esse dia ele é o homem mais infeliz que se poderá encontrar. Ele tem ainda uma tarefa muito triste nessa tarde: explicar à família enlutada como esteve ocupado no início da semana. Passa a manhã de sábado procurando seu texto para o sermão de domingo, mas tem de ir para a cama sem conseguir encontrá-lo. Durante o sábado inteirinho ele fica em sua escrivaninha e pode ser comparado a uma ursa cujos filhotes foram roubados, caso alguém olhe ou fale com ele. No domingo de manhã ele retira uns velhos rabiscos da gaveta, o que faz seu auditório se entreolhar, pelo fato de ele nem sequer conseguir ler. Irmão pastor, mesmo que seja da congregação mais remota e analfabeta da Escócia, sente-se à sua escrivaninha cedo, todo dia, e se Deus lhe deu um temperamento indolente, fleumático, letárgico, sente-se em sua mesa com bastante determinação. Eu digo a todo estudante preguiçoso da Palavra, bem como a todo praticante queixoso, procrastinador, que vá afogar-se de uma vez.

Na realidade há uma solução melhor para a letargia natural do fleumático e sua falta de motivação do que se afogar. Uma das nove forças do Espírito Santo (Gl 5:22-23) é o *domínio próprio*. Portanto, a plenitude do Espírito Santo não deixará que o fleumático dê lugar à carne, e o motivará para o serviço. À medida que se alimenta da Palavra e entrega sua mente ao Espírito Santo, receberá alvos e planos que o estimulem. O segredo da determinação não é pressão sanguínea alta, entusiasmo ou energia. É visão! Quando uma pessoa tem metas e alvos, está motivada. Consequentemente, o fleumático cheio do Espírito Santo terá objetivos, e sua vida diária demonstrará um temperamento transformado. Os fleumáticos, preocupados em obter uma motivação mais elevada para glorificar a Deus, deverão estudar as técnicas aplicadas pelo apóstolo Paulo na determinação de alvos, descritas nesse capítulo 5.

Nos tempos bíblicos, vários homens que foram usados por Deus parecem ter possuído uma boa parcela de temperamento fleumático: Noé, Samuel, Daniel, José (marido de Maria), Natanael, Filipe e Tiago, o apóstolo. O melhor exemplo para o propósito de nosso estudo é Abraão. Reverenciado por mais pessoas que qualquer outro homem da Bíblia, exceto o Senhor Jesus, Abraão jamais teria sido grande sem o poder transformador do Espírito Santo. Seus conflitos, devidos ao temperamento fleumático, fornecem durante toda a sua vida um exemplo ideal do que Deus pode fazer com um fleumático entregue a sua vontade e a seu Espírito. Sempre que ele andava no Espírito, dependendo do Senhor, era muito bem-sucedido. Mas, quando entristecia o Espírito por intermédio do medo e da dúvida, fracassava por completo. O mesmo ocorre conosco hoje. Espero que lucremos com as experiências de Abraão, o fleumático.

Cauteloso

A hesitação, a indecisão e o medo naturais ao fleumático são vistos em Abraão na primeira vez em que aparece na Bíblia. Ele morava na cidade de Ur, dos caldeus, pouco depois dos dias de Nimrode e da destruição da torre de Babel. As pesquisas arqueológicas indicam que Ur era extremamente desenvolvida, comparável à Babilônia dos dias de Nabucodonosor, mil anos mais tarde. Foi também muito influenciada pela religião idólatra da Babilônia, iniciada por Nimrode e sua mãe Semíramis.

Essa cidade pervertida, situada no "berço da civilização", não era lugar para o jovem casal que Deus selecionara para ser o ancestral de seu povo escolhido. Foi esse o motivo pelo qual Deus decidiu afastar daquela terra Abrão, como então era conhecido, dizendo-lhe: "Saia da sua terra, do meio dos seus parentes e da casa de seu pai, e vá para a terra que eu lhe mostrarei" (Gn 12:1). Mas Abrão dependia tanto de seus pais e parentes, que, em vez de obedecer inteiramente à ordem de Deus, parou em Harã com a família. Abrão só obedeceu depois da morte de Terá, seu pai, quando o Senhor lhe falou novamente; e mesmo assim levou Ló, seu sobrinho, em sua companhia.

Parece muito difícil para o fleumático confiar inteiramente no Senhor, talvez porque o medo é um de seus problemas mais constantes. Sua tendência a preocupar-se por tudo, mostrando-se sempre angustiado, não é tão severa quanto a do melancólico, mas tende a limitá-lo. Muitos cristãos fleumáticos relutam em passar pela porta da oportunidade quando esta se abre. Não é a falta de capacidade que priva os fleumáticos de alcançar maior sucesso, mas sim a relutância em aventurar-se nos mares não mapeados do desconhecido. A relutância de Abrão em deixar o pai é característica, e ele levou ainda o sobrinho Ló, como uma espécie de "muleta" para aquela terra desconhecida, que lhe tinha sido prometida. O fleumático se torna dinamicamente útil nas mãos do Senhor somente quando aprende a confiar apenas em Deus. Seu "protetor" em geral acaba gerando problemas desnecessários em sua vida, como Ló fez com Abraão.

As promessas de Deus, feitas a Abrão em Gênesis 12:1-3, estão no tempo passado do verbo, indicando que já tinham sido feitas antes e agora eram reiteradas. Foram necessários muitos anos para Abrão confiar no Senhor. Deus lhe fez seis promessas: 1) "farei de você um grande povo"; 2) "o abençoarei"; 3) "tornarei famoso o seu nome"; 4) "você será uma bênção"; 5) "abençoarei os que o abençoarem e amaldiçoarei os que o amaldiçoarem"; 6) "por meio de você todos os povos da terra serão abençoados".

Se Abraão tivesse confiado na Palavra de Deus, teria evitado muito sofrimento e muita confusão. Ter fé é simplesmente confiar na Palavra e avançar apoiado em suas promessas. Deus jamais foi infiel a alguém, mas todas as gerações de crentes, sobretudo os de temperamento fleumático, precisam sempre reaprender as lições de Abraão. Mais tarde, Deus falou a Abraão e fez-lhe outra promessa que especificava: "A sua descendência darei esta terra" (12:7). Abraão tinha 75 anos de idade; ser pai de filhos era improvável, embora humanamente ainda possível; assim, Deus achou melhor deixar o tempo passar até que isso fosse biologicamente impossível e cumpriu sua promessa de forma milagrosa como exemplo de sua fidelidade, não apenas a Abraão, como também aos cristãos de todas as gerações.

A Bíblia nos ensina que Deus aumenta nossa fé por meio das provações. Tiago afirma: "Meus irmãos, considerem motivo de grande alegria o fato de passarem por diversas provações, pois vocês sabem que a prova da sua fé produz perseverança. E a perseverança deve ter ação completa, a fim de que vocês sejam maduros e íntegros, sem lhes faltar coisa alguma" (Tg 1:2-4). Esse princípio divino operou na vida de Abraão e nos ensina a esperar que nossa fé seja testada; quando isso acontece, em vez de murmurar ou buscar uma solução humana, devemos agradecer a Deus pela provação e confiar nele para resolvê-la. Essa atitude produz sempre resultados positivos.

Pouco depois de Deus ter feito suas promessas a Abrão, ele o testou. Gênesis 12:10 diz: "Houve fome naquela terra, e Abrão desceu ao Egito para ali viver algum tempo, pois a fome era rigorosa". Da mesma forma que Ló, o Egito era também uma "muleta quebrada". Saindo de um centro de civilização para um deserto castigado pela fome, Abraão procurou pela área de suprimentos mais próxima, a terra do Egito. Sem consultar a Deus, levou sua família para aquela terra tão pagã quanto a outra da qual o Senhor o tinha retirado. Seu completo fracasso no Egito, que examinaremos mais tarde, jamais teria ocorrido se ele tivesse esperado socorro de Deus, que se teria manifestado na terra de Canaã. Todo cristão medroso deveria apoiar-se na promessa: "Aquele que os chama é fiel, e fará isso" (1Ts 5:24).

Pacífico

Um dos traços mais admiráveis dos fleumáticos é seu amor à paz. Tendem a demonstrar serenidade e calma, transmitindo tais sentimentos aos que os rodeiam. Seu desejo de paz e harmonia é, em geral, maior do que o de possuir bens pessoais. Essa característica pode ser vista em Abraão, quando seus pastores e os de Ló começaram a brigar entre si. Por serem ambos chefes de família e terem empregados, mantinham seus rebanhos separados. Mas como não havia cercas, era natural que surgissem conflitos quanto às pastagens e às fontes de água. Abraão ofereceu a Ló uma solução: "Não haja desavença entre mim e você e entre os seus pastores e os meus; afinal somos irmãos. Aí está a terra inteira diante de você. Vamos separar-nos. Se você for para a esquerda, irei para a direita; se for para a direita, irei para a esquerda" (Gn 13:8-9). Essa parece uma solução agradável para uma situação desagradável. Mas é provável que Abraão sofresse muito por se separar de seu "protetor" humano. O fato de Ló ter-se mostrado indigno de tal confiança não diminuiu o sofrimento de Abraão.

Não nos parece pura coincidência que Deus tenha dado a escritura específica de propriedade da Terra de Canaã a Abraão, justamente depois de ele se ter separado de Ló. Deus quer abençoar seus filhos, mas exige fé absoluta por parte deles, pois "sem fé é impossível agradar a Deus" (Hb 11:6).

Se não estivermos dispostos a confiar completamente no Senhor, perdemos bênçãos que ele preparou para nós, ou então ele permite que nos sobrevenham provações a fim de levar-nos a depender somente dele. Se Abraão e Ló não se tivessem separado, parece que Deus não poderia ter prometido a seguinte bênção:

> De onde você está, olhe para o norte, para o sul, para o leste e para o oeste: toda a terra que você está vendo darei a você e a sua descendência para sempre. Tornarei a sua descendência tão numerosa como o pó da terra. Se for possível contar o pó da terra, também se poderá contar a sua descendência. Percorra esta terra de alto a baixo, de um lado a outro, porque eu a darei a você.
>
> Gênesis 13:14-17

Muitos obreiros cristãos têm chegado a ponto de se verem obrigados a se separar de entes queridos e amigos, a fim de poder participar da bênção proporcionada pelo Senhor. Quase todo missionário e a maioria dos pastores têm enfrentado essa decisão traumática; e muitos leigos também têm tido de enfrentá-la, pois Deus tem um plano específico para cada um de seus filhos. Muitos jovens têm preferido frequentar um colégio ou uma faculdade pública, em lugar de ir para uma escola de orientação cristã, ainda que tenham de gastar mais. A maioria dos pastores pode apresentar uma lista de jovens "náufragos", cuja fé se desvaneceu no convívio das escolas seculares. Isso não quer dizer que seja plano de Deus que todos os jovens cristãos frequentem institutos bíblicos ou seminários. Mas a maioria dos pastores e conselheiros é de opinião que Deus dirigiu muito mais pessoas para escolas evangélicas do que o número de alunos nelas inscrito, e a falha está na incredulidade por parte dos pais ou do estudante.

Uma das decisões mais difíceis que tive de tomar foi a de mandar minha filha de dezoito anos para uma faculdade evangélica que fica a quatro mil quilômetros de casa. Lembro-me bem de ter pensado naquela ocasião que era como se tivesse de cortar um pedaço de meu coração, arrancando-o de meu corpo e mandando-o para longe. Dois anos mais tarde, outro pedaço de meu coração teve de ser cortado quando meu filho tomou a mesma decisão. Sem dúvida virá o dia em que os dois mais novos também terão de decidir. Não me arrependo de ter permitido que saíssem. Custou-me a alegria da presença deles e das muitas horas e dias felizes em sua companhia. Mas valeu a pena. Os jovens estão andando com Deus e preparando-se para servi-lo, o que compensou, e muito, a "cirurgia do coração" experimentada por esse pai apegado. A mãe e eu agradecemos a Deus constantemente por não termos bitolado a vida deles, mantendo-os presos a nós, mas os deixamos entregues à vontade perfeita de Deus.

Leal

"Sua atitude, quando pressionado, revela sua personalidade!" A pressão não muda nosso caráter, apenas identifica sua verdadeira natureza. De todos os tipos de temperamento, o fleumático é o que suporta melhor a pressão, devido a sua natureza. Os sanguíneos com frequência correm desorientados na direção errada, e os melancólicos se despedaçam sob pressão, mas os coléricos e fleumáticos se erguem em ocasiões de dificuldades. O colérico tende a confiar em sua intuição nessas emergências e muitas vezes falta-lhe a organização e a eficiência do fleumático. Uma das surpresas comportamentais no estudo da natureza humana é a reação calma e eficiente do fleumático em tempos de crise. Gênesis 14 relata uma experiência como essa na vida de Abraão.

Pouco depois de Ló ter passado a morar em Sodoma, surgiu uma guerra entre os reis de Canaã. Quedorlaomer, Rei de Elão, e diversos outros reis conquistaram Sodoma e Gomorra e levaram muitos habitantes como escravos, inclusive Ló e sua família. Um dos cativos escapou e informou a Abraão sobre o desastre. A reação dele foi a seguinte:

> Quando Abrão ouviu que seu parente fora levado prisioneiro, mandou convocar os 318 homens treinados, nascidos em sua casa, e saiu em perseguição aos inimigos até Dã. Atacou-os durante a noite em grupos, e assim os derrotou, perseguindo-os até Hobá, ao norte de Damasco. Recuperou todos os bens e trouxe de volta seu parente Ló com tudo o que possuía, com as mulheres e o restante dos prisioneiros.
>
> Gênesis 14:14-16

Esse extraordinário relato revela diversos aspectos do fleumático Abraão e de outros de seu temperamento. Sua preocupação com os entes queridos durante uma emergência é maior que seu amor pela segurança pessoal e proteção emocional. Motivado à ação e levado à batalha, Abraão revelou características latentes de liderança que foram extremamente eficazes. Seu método de atacar um exército mais forte tornou-se o modelo usado muitas vezes, desde aquela época, na história das guerras. Dividindo seu pequeno grupo, usando o elemento-surpresa e a escuridão como cobertura, não só venceu um exército superior como o perseguiu até obter vitória completa. Sua reação calma e nada emocional em face da vitória é também característica do fleumático. Não encontramos traços de exibicionismo na vida de Abraão. Não se trata apenas de um tributo a sua vida espiritual, como também é uma característica distintiva do fleumático, cuja tendência é em tudo conservadora, inclusive no louvor de si mesmo. Abraão sabia, como Melquisedeque, rei de Salém, mais tarde demonstrou, que sua vitória realmente era devida à bênção de Deus, que o libertara do inimigo. Por essa razão ele deu fielmente a Deus o dízimo de tudo quanto possuía, por meio do rei-sacerdote.

Se a verdade fosse conhecida e os registros financeiros das igrejas evangélicas pudessem um dia ser computados, tenha a certeza de que os fleumáticos se mostrariam os mais consistentes na prática do dízimo. Não são os que mais falam a respeito do dízimo, mas uma vez entregues a um princípio de Deus, são os mais regulares. Os sanguíneos fazem sempre novos votos de fidelidade, enquanto os coléricos estão no geral tão comprometidos financeiramente que ficam adiando suas dádivas ao Senhor, o que equivale a não contribuir com nada. Os melancólicos temem que não possam viver com o restante de sua renda, e assim relutam em dar o dízimo. Os fleumáticos, mais do que os de qualquer outro temperamento, tendem a fazer "a coisa aceitável". São os mais dispostos, de todos os temperamentos, a obedecer àquilo que Deus espera de um cristão. Porém, uma vez que se comprometam com a contribuição, sua natureza um tanto econômica os torna menos espontâneos nas ofertas. Os outros temperamentos se mostrariam mais sensíveis em atender de maneira espontânea às outras causas que demandam ofertas especiais. Não é assim com os fleumáticos, regulares em seus hábitos de contribuição. Quando são, porém, de fato transformados pelo Espírito Santo, suas emoções liberadas os farão abrir o bolso.

Passivo

A inclinação natural do fleumático para a paz envolve uma tendência à passividade diante dos conflitos, a não ser quando se apresenta uma crise. Os homens fleumáticos, em virtude dessa atitude, muitas vezes são dominados pelas esposas. Nos primeiros tempos de seu casamento, Abraão não parecia exceção a esse estado de coisas. No capítulo 16 de Gênesis, vemos a grande influência de Sarai sobre seu marido. Impaciente pelo cumprimento da promessa divina de um filho que perpetuasse sua descendência, ela fez seu plano. Por julgar-se incapaz de conceber, Sarai sugeriu que ele tomasse sua serva egípcia e, por meio dela, desse filhos a Sarai. A anuência de Abraão resultou em um dos acontecimentos mais deploráveis da Bíblia, porque introduziu entre as nações um povo que estaria perpetuamente em conflito com o povo de Deus.

A Bíblia nos diz: “Abraão atendeu à proposta de Sarai”. A tragédia da gravidez de Hagar, sua rejeição por Sarai, e sua expulsão da família a fim de manter a paz, mostram claramente o domínio de Sarai sobre Abraão. Ele amava a Ismael, o filho que teve com a serva, mas não tinha forças para resistir à esposa, mesmo depois do erro cometido. Seria difícil descrever o trauma emocional que Abraão certamente sofreu quando, depois do nascimento de Isaque, teve de expulsar Ismael a quem ele amava, a fim de agradar à mulher.

Uma das lições que os fleumáticos amantes da paz precisam aprender é que nada se consegue pela acomodação. Quando se consegue manter a paz por meios legítimos, é admirável, mas caso se resolva transigir nos princípios, sempre haverá um preço a pagar. Muitos fleumáticos, com o fim de manter paz dentro de casa, têm-se deixado dominar pela esposa. Entretanto, será impossível manter um ambiente de genuína espiritualidade no lar, e por meio dele dar um testemunho cristão verdadeiro, se o marido não desempenhar, efetivamente, o papel que lhe cabe como cabeça da casa. Jovens que crescem em lares dominados por mulheres são emocionalmente incapazes de enfrentar a sociedade. A maior parte do domínio feminino poderia ter sido evitada se o jovem marido tivesse assumido imediatamente o papel predominante no lar, em obediência à vontade de Deus.

Tive oportunidade de entrevistar fleumáticos, na sala de aconselhamentos, que odiavam suas mulheres e não tinham, portanto, nenhuma vitalidade espiritual. Por meio dos anos tinham passado a aceitar a liderança da esposa, mas os ressentimentos se acumulavam em proporção direta a sua perda de autoridade. Esse ressentimento acaba destruindo o amor, porque não é natural para a mulher exercer domínio sobre o homem. Tal situação não só é indesejável para o marido, como se tornará uma fonte de infelicidade para a esposa, que na verdade não pode respeitar o cônjuge que não admira. Abraão nos oferece um bom exemplo nesse caso, porque o Novo Testamento revela que Deus modificou seu temperamento e ele se tornou o chefe da família. Sara finalmente reconheceu ser ele seu líder espiritual e o cabeça do lar (1Pe 3:1-6).

Muitas mulheres de vontade forte rebelam-se contra o conceito bíblico da submissão da esposa ao marido. Por seu temperamento, acham mais fácil assumir o comando, tomar as decisões e mandar em todos da casa, inclusive no marido. Isso sempre faz a felicidade desaparecer.

Temeroso

É quase impossível exagerar os efeitos negativos e destrutivos do medo. Centenas de livros têm sido escritos sobre como vencer o medo e a ansiedade. A popularidade desses livros e as repetidas admoestações contidas na Palavra de Deus para que não tenhamos temor indicam que o medo é um problema universal. Dos quatro temperamentos, o menos predisposto ao medo é o colérico. O sanguíneo, apesar de suas falsas bravatas, tem insegurança e temor que ocasionalmente o perturbam. Tanto o melancólico quanto o fleumático possuem doses generosas de medo; assim, Moisés e Abraão tinham grande problema com seus temores íntimos. A única cura real para essa predisposição é o poder sobrenatural de Deus. Moisés e Abraão são excelente exemplo de que esse aspecto negativo de nosso temperamento se transforma quando é Deus quem nos controla.

Apesar das muitas coisas positivas que dissemos a respeito do fleumático Abraão, ele cometeu dois atos censuráveis e covardes, influenciado pelo medo.

O primeiro está marcado no capítulo 12 de Gênesis. Por causa da fome que assolava a terra, Abraão deixou de lado a vontade de Deus e foi para o Egito. Quando soube que o rei daquela terra tinha um imenso harém e não discriminava entre mulheres casadas e solteiras em sua seleção de esposas e concubinas, Abraão ficou com medo. Observando Sarai, Abraão reconheceu sua beleza e temeu que os egípcios o matassem por causa de sua bela esposa. Sugeriu então: "Diga que é minha irmã, para que me tratem bem por amor a você e minha vida seja poupada por sua causa". De fato, a formosa Sarai foi notada e levada à presença do rei. Pensando que Abraão fosse seu irmão, o rei o tratou bem por causa dela. Somente por meio de uma praga de Deus foi que Faraó soube a verdade, e Abraão e sua esposa foram poupados de cometer um pecado grave. A covardia de Abraão resultou em sua expulsão da terra, oferecendo um péssimo testemunho do Senhor naquela nação pagã. Essa mancha na vida de Abraão teria sido evitada se ele tivesse confiado em Deus, para sua alimentação e segurança.

Abraão traiu novamente Sarai devido ao medo. Muitos anos mais tarde, no capítulo 20, mais uma vez Abraão pediu à esposa que afirmasse ser sua irmã, a fim de ganhar os favores de Abimeleque, um rei pagão. Mais uma vez ela se destacou por sua beleza e quase passou a fazer parte do harém do rei. Se Deus não tivesse avisado a Abimeleque em sonhos, Abraão e Sarai teriam sido envolvidos em um pecado trágico. Deus estava pronto a matar Abimeleque a fim de evitar que as promessas que fizera a Abrão e Sarai fossem anuladas. O padrão divino de moralidade não abre exceções — a mentira é pecado assim como o adultério, mesmo quando necessários para salvar uma vida. Nossos pretextos e concessões jamais melhoram o plano e a provisão de Deus.

O maior problema de Abrão, ou Abraão (seu novo nome), era a incredulidade. À medida que cresceu na graça e no conhecimento do Senhor, foi de tal forma transformado que essa tendência desapareceu de seus pensamentos.

Examinando melhor essa história, descobrimos que Deus curou o medo de Abraão, revelando-se mais amplamente. Quanto mais Abraão aprendeu a respeito de Deus, tanto mais confiou nele, e menos temeroso ficou. O Senhor falou-lhe em uma visão, dizendo: "Não tenha medo, Abrão! Eu sou o seu escudo; grande será a sua recompensa" (Gn 15:1). Inicialmente Abraão relutou em aceitar a Deus como protetor e galardoador. Procurava soluções humanas. Cada vez que se deixava levar por providências meramente humanas, tropeçava e caía, mas quando agia apoiado nas promessas de Deus, experimentava milagres em sua vida. Deus realizou o milagre biológico nos corpos já idosos de Abraão e Sarai, tornando-os pais de Isaque, e, por meio dele, da nação israelita.

Até o nascimento de Isaque, a fé que Abraão tinha era uma experiência de crescimento, que por vezes fraquejava e, a seguir, avançava. A partir de então, passou a ser conhecido como "o pai dos fiéis", antepassado daqueles que depositaram em Deus a sua fé.

Isso não significa que Abraão tivesse sempre obedecido a Deus. Significa que sua fé se tornou exemplo de submissão incondicional para todos aqueles que querem conhecer o Salvador. Deus usa o vaso entregue, apesar dos deslizes, quando as falhas lhe são confessadas. A chave para a fé consistente é ouvir a Palavra, obedecê-la como instrução digna de confiança de um Pai amoroso e confessar e abandonar todo erro.

A transformação de Abraão

A força da fé possuída por Abraão é dramaticamente demonstrada no sacrifício de seu filho Isaque, ordenado por Deus. Gênesis 22 diz que Deus testou Abraão, instruindo-o a tomar o filho a quem amava e a oferecê-lo em holocausto sobre um dos montes, "que lhe indicarei". Abraão levou o filho ao tal monte Moriá e preparou-se para ali sacrificá-lo. Quando o jovem perguntou-lhe onde estava o cordeiro para o holocausto, Abraão respondeu: "Deus mesmo há de prover o cordeiro para o holocausto, meu filho". Ele amarrou então o filho e colocou-o sobre o altar, tomando da faca para executá-lo como Deus lhe ordenara. Mas Deus só queria a máxima lealdade de Abraão, e não o corpo de seu filho. Ele impediu Abraão de cumprir o sacrifício dizendo: "Agora sei que você teme a Deus, porque não me negou o seu filho, o seu único filho". Deus providenciou um carneiro como oferta substitutiva pela morte de Isaque, prefigurando a maneira como, muitas gerações mais tarde, Jesus Cristo seria a oferta perfeita pelos pecados de toda a humanidade. Foi pedido a Abraão, o pai dos fiéis, que se dispusesse a entregar seu filho; Deus deu, porém, na verdade, seu filho unigênito.

O crescimento de Abraão na fé mostra-nos o crescimento gradual que Deus dá a todo crente. Observamos um homem que no capítulo 12 não era sequer capaz de confiar em Deus quanto ao alimento transformar-se no servo destemido que, como o Espírito Santo nos revela em Hebreus 11:9, cria tão sinceramente em Deus que estava certo de que ele teria ressuscitado Isaque se este tivesse morrido sobre o altar.

Onde Abraão obteve essa fé? Ela foi um resultado da confiança que depositou na Palavra de Deus, agindo conforme suas promessas. Deus tinha claramente prometido posteridade a Isaque, e Abraão creu que nem a morte poderia impedi-la. A fé não precisa de respostas; só de direção. Muitos crentes dizem: "Ah, se eu soubesse como isso vai acabar, confiaria então em Deus". Isso é incredulidade. A transformação de Abraão fez dele um dos maiores homens que já viveu, não porque tivesse temperamento fleumático, mas apesar desse temperamento. A transformação do temperamento está ao alcance de todo filho de Deus que almeja a plenitude do Espírito e a orientação da Palavra de Deus.

8

O andar transformado

O segredo do temperamento transformado está em deixar-se encher pelo Espírito Santo, não apenas de forma esporádica, mas ininterrupta. Muitos crentes têm ficado desanimados por pensarem que essa plenitude do Espírito Santo só se alcança uma ou outra vez, mas Efésios diz que devemos reabastecer-nos do Espírito o tempo todo. Uma tradução literal seria esta: "Não se embriaguem com vinho, que leva à libertinagem, mas deixem-se encher pelo Espírito" (Ef 5:18). Em outras palavras, procure preencher-se continuamente do Espírito. Esse conceito é paralelo ao de Gálatas 5:16: "Por isso digo: Vivam pelo Espírito, e de modo nenhum satisfarão os desejos da carne". A obediência à carne é indicação externa de que interiormente não estamos cheios do Espírito. A cura para essa tendência dos temperamentos está em "andar no Espírito", que não é o mesmo que estar cheio do Espírito. O "andar" depende da plenitude, mas não se trata de expressões sinônimas.

Como encher-se do Espírito Santo

Em meu livro *Temperamento controlado pelo Espírito*, um dos capítulos trata da plenitude do Espírito Santo. Seria útil ao leitor reler detalhadamente esse capítulo. Em poucas palavras, os passos para a plenitude do Espírito são os seguintes:

1. Examine-se e confesse todo pecado conhecido (1Jo 1:9).
2. Submeta-se inteiramente a Deus (Rm 6:11-13).

3. Peça a plenitude do Espírito (Lc 11:13).
4. Aproprie-se da promessa de Deus e creia que já recebeu a plenitude do Espírito (Rm 14:23).
5. Agradeça-lhe por sua plenitude sempre que reconhecer seu pecado (1Ts 5:18).

De vez em quando alguém protesta: "Isso parece simples demais: acho que a plenitude do Espírito deve ser algo muito mais complicado!". Por que haveria de ser complicado? Foi difícil para você obedecer ao mandamento do Senhor: "Importa-vos nascer de novo"? Eu tinha apenas oito anos de idade quando senti minha necessidade espiritual e pedi tão somente que o Senhor Jesus entrasse em meu coração, purificasse minha vida e se tornasse meu Mestre. Ele imediatamente respondeu a minha oração. Por que não haveria de responder-me quando eu pedir a plenitude do Espírito Santo? Se já demos o primeiro e o segundo passo, vamos então dar o passo número três para recebermos o Espírito em nosso interior. A. B. Simpson costumava dizer: "Ficar cheio do Espírito é tão fácil quanto respirar; apenas expiramos e inspiramos".

Uma das razões pelas quais alguns crentes hesitam em acreditar que receberam o Espírito é que não veem uma mudança imediata na vida, ou então, havendo uma mudança, é de curta duração. Dois fatores importantes influem nisso: o temperamento e o hábito; e ambos funcionam juntos. As fraquezas de nosso temperamento criam hábitos fortes que se repetem involuntariamente. No momento em que entra o pecado, o Espírito sai, e o crente desiludido chega a pensar: "A coisa não funciona comigo".

Ilustrando, consideremos um cristão melancólico ou fleumático com tendência para o medo. As dúvidas, o negativismo, a preocupação e a ansiedade constituem um hábito arraigado nessas pessoas. Tenho uma ideia de como seria a reação de cada um após completar os cinco passos para a plenitude do Espírito.

O hábito de pensar negativamente produzirá logo dúvidas: "Será que estou cheio do Espírito Santo? Não sinto a mínima diferença. Ainda estou com medo". Tal atitude mental é pecaminosa e anula a plenitude e o controle do Espírito.

O que tais pessoas precisam reconhecer é que os sentimentos são um resultado dos padrões de pensamento. Você se *sente* negativo quando *pensa* negativamente. Uma ilustração típica pode ser observada no caso da luxúria. Certo universitário me procurou confessando seus "desejos sexuais desordenados". Eles tinham se tornado tão fortes que ele temia acabar atacando uma mulher em alguma rua escura. Estava especialmente preocupado com a possibilidade de tornar-se "anormal" ou mesmo "pervertido".

Depois de investigarmos seus padrões de pensamentos, descobrimos o seguinte: o rapaz tinha por hábito assistir a filmes imorais. Lia literatura pornográfica com regularidade e admitiu que se imaginava no papel dos homens de conduta moral de baixo padrão apresentados nos livros que lia. É de surpreender que se desenvolvessem nele impulsos sexuais tão fortes que pudessem conduzi-lo a algum ato vil e criminoso? Como professava ser cristão, confessou seus pecados da mente e pediu ao Espírito Santo que fizesse morada nele. No início, seus desejos desordenados se acalmaram, mas antes do fim do dia ele telefonou aflito para dizer que tinham voltado. Não fiquei surpreso. A primeira moça bonita e pouco vestida que viu excitou-lhe a luxúria, entristecendo assim ao Espírito Santo, e ele voltou aos antigos sentimentos. Era preciso que compreendesse que sua sexualidade exacerbada só iria acalmar-se quando tivesse a mente renovada por padrões de pensamentos sadios.

Você não pode encher a mente com sujeira e querer sentir-se limpo. Essa é a razão por que muitos cristãos "não veem nada de mal" em certos pecados. Suas atitudes mentais pecaminosas já vêm sendo mantidas há tanto tempo que os atos corruptos chegam a lhes parecer normais. Já vi pessoas tentarem justificar o adultério porque "não sentiam" que isso fosse errado. Na realidade, elas tinham sentido que era errado antes de o fato tornar-se um lugar-comum em seus padrões mentais. Contrariando o que dizem os apologistas da ética situacional, temos de aprender que não podemos confiar nos "sentimentos". Só é possível fazê-lo quando esses são baseados na verdade e na justiça. O povo de Deus precisa encher suas mentes com a Palavra de Deus, para que seus sentimentos correspondam à pureza divina. Quando meu amigo universitário finalmente submeteu seus pensamentos "à obediência de Cristo", seus impulsos seguiram a mesma direção (2Co 10:5).

O mesmo acontecerá com os sentimentos da pessoa eternamente insegura, mesmo que desfrute a plenitude do Espírito. Leva tempo até que ela possa sentir uma segurança constante. Se buscar a misericórdia e o perdão de Deus sempre que experimentar dúvida ou incredulidade, o Senhor pouco a pouco a fará sentir-se confiante. Mas, se continuar a ter pensamentos negativos, duvidando, e justificar-se dizendo "sempre fui assim", não vai modificar-se. Poderá até mesmo piorar, porque está extinguindo o Espírito Santo ao cometer esse pecado e aprofundando cada vez mais o hábito em sua mente. Se assentir mentalmente a promessas como Filipenses 4:13 "tudo posso naquele que me fortalece", aos poucos se sentirá segura. Ter fé é acreditar naquilo que Deus diz e agir apoiado em suas promessas. Qualquer sentimento inferior a esse é pecaminoso, impedindo a obra do Espírito Santo na transformação do temperamento.

O sanguíneo e o colérico têm problemas semelhantes com seu pecado preferido: a ira. Mesmo depois da plenitude do Espírito Santo, sua ira natural não demora em vir à tona e entristecer o Espírito. A não ser que confessem imediatamente esse pecado, o Espírito os deixará, e os velhos sentimentos voltarão a controlá-los. Cada vez que, em seu íntimo, justificam a si mesmos, pensando em como foram ofendidos, insultados ou tapeados, cultivam sentimentos de hostilidade. Esse excesso de sensibilidade é o resultado de anos de pensamentos negativos, que só poderão ser vencidos à medida que se der acesso ao Espírito Santo de Deus, a fim de que ele tome o controle da mente, tanto do consciente como do subconsciente. Ele substitui esses sentimentos negativos por amor, bondade e mansidão, embora uma mudança permanente leve algum tempo para ser realizada.

Em meu caso, durante 36 anos convivi com a agressividade. Eu queria ser um servo de Deus sincero e sempre, antes de pregar, pedia sua purificação e plenitude, mas supunha que controlar minha ira era o mesmo que obter vitória sobre ela. Nada poderia estar mais longe da verdade! Um dia, a convite de minha esposa, fui a uma conferência em Forest Home ouvir o dr. Henry Brandt. Cheguei bem na hora em que ele estava começando a contar a história de um jovem e irritado pastor que o tinha procurado para aconselhamento. Tratava-se, na verdade, de um outro homem, mas a história era idêntica a minha! Quando ele terminou a mensagem citando Efésios 4:30-32, fiquei estupefato. Jamais me passara pela cabeça a ideia de que a ira, a hostilidade e a amargura fizessem parte de um pecado tão horrível que entristecia o Espírito Santo. Afastei-me em silêncio, deslizando por entre as árvores, e abri meu coração perante Deus. Por sua misericórdia alcancei purificação e saí de lá um homem transformado.

Foi um passo de gigante para mim encarar minha ira e minha hostilidade, o que me aproximou da verdadeira vitória. Pela primeira vez, eu soube realmente o que era a plenitude do Espírito

Santo. Ao compreender a natureza terrível do pecado da ira, experimentei verdadeira humildade espiritual e, pela primeira vez em décadas, senti-me emocionalmente apaziguado. Mas quanto tempo durou esse sentimento? Cerca de duas horas depois que saí da conferência aquele sentimento maravilhoso de paz e unidade com Deus foi afogado pelas ondas habituais de hostilidade.

Uma das coisas que me deixava mais enraivecido era o sujeito, de súbito, nos cortar a frente na estrada. Muitas palavras amargas e odiosas saltavam de minha língua diante de tais barbeiragens no volante. Aconteceu certo dia, no caminho de casa.

Viajando a uns oitenta quilômetros por hora na estrada para San Diego, passei por outra experiência transformadora em minha vida. Encarando o motorista ofensor, de repente percebi que minha "paz com Deus" tinha desaparecido. Na mesma hora, resolvi que não seria ele quem determinaria meu fracasso espiritual. Diminuindo a velocidade, a fim de evitar uma colisão, orei: "Senhor, mais uma vez pequei. Perdoa-me e tira esse hábito de mim". Aos poucos a "paz" voltou, e este colérico-sanguíneo entrou no período mais feliz e satisfatório de sua vida.

Sim, houve outras ocasiões e outras falhas, mas, quando confesso minha ira, a graça de Deus me cobre e sou perdoado. Algumas das coisas que me faziam "estourar" agora só provocam risos. Recentemente, ao pensar em minhas velhas reações, descobri-me rindo quando um carrinho esporte vermelho me fechou. Eu não trocaria por nada nesse mundo minha paz atual e alegria pela velha ira e tristeza que antes me acompanhavam. Na verdade, deve existir algo muito real na obra transformadora do Espírito Santo em minha vida, pois, da última vez em que jantamos com o dr. Brandt e a esposa, ouvi estas palavras ditas por minha mulher: "Quero agradecer-lhe por ter sido o instrumento que Deus usou para me dar um novo marido". Corro o risco de ser pessoal demais, mas devo dizer que, não fossem aquelas duas experiências do Espírito Santo transformando minha vida, eu não poderia ter escrito o livro *Casados mas felizes*.[1]

Para que não pareça que essa vitória é oferecida por Deus somente aos pastores, quero relatar a história de um patrulheiro da polícia de trânsito da Califórnia. Fortemente colérico, esse jovem cristão tinha conhecido a vida plena do Espírito e estava começando a experimentar a vitória sobre a ira e a hostilidade, que desde há muito exerciam controle sobre ele. Certo dia teve de multar um homem que descreveu como "o motorista mais antipático que já conheci. A única pessoa mais antipática do que ele era a própria esposa", afirmou. O patrulheiro descreveu assim sua experiência: "Enquanto eu preenchia o talão de multa, eles me xingaram com todos os palavrões possíveis e com alguns outros novos para mim. Fui educado com eles, como o Departamento nos instruiu, mas quando voltei para meu carro, estava tão zangado que sentia o rosto em fogo e os cabelos em minha nuca pareciam estar de pé. Lembrei-me então de que não podia entristecer o Espírito Santo. Enquanto os dois iam embora, curvei a cabeça sobre a direção e pedi a Deus que os perdoasse e lhes desse a conhecer alguém que os levasse a Cristo. Levantei a cabeça. Já quase não os via mais, mas tinha dentro de mim um sentimento de profunda paz e amor. Toda a amargura tinha desaparecido. Liguei o motor e segui para desfrutar um dia agradável, em lugar do dia desagradável que normalmente seria de esperar". Ele passou a contar, então, como pôde, naquela mesma noite, conduzir a vítima de um acidente ao conhecimento de Cristo como Salvador. Isso prova, mais uma vez, que o Espírito Santo se ocupa em transformar o temperamento humano.

[1] Tim LaHaye, São José dos Campos: Fiel, 1976.

Como andar no Espírito

Muitos livros têm sido escritos a respeito da plenitude do Espírito Santo, mas a maioria não tem enfatizando o suficiente que essa plenitude é apenas o início da vitória cristã. Desse momento em diante devemos *andar no Espírito,* a fim de que nosso sucesso possa ser duradouro (Gl 5:16). Uma coisa é entrar na vida de plenitude do Espírito e absolutamente outra é andar cada dia em sujeição ao Espírito. Da mesma forma que recebemos ordem para "enchermo-nos do Espírito", temos também instrução para "andarmos no Espírito". Como é um mandamento divino, não precisamos buscar um procedimento complexo ou difícil, porque Deus quer acertar nossa vida e não confundi-la ainda mais. Os seguintes passos para andar no Espírito poderão ser um instrumento para a vida diária vitoriosa.

1. *Faça da plenitude do Espírito uma prioridade a cada dia.* Você não pode andar no Espírito a não ser que sinceramente deseje isso, e a não ser que ele passe a habitar em você. Como já vimos, os velhos padrões de hábito voltam furtivamente a nos perseguir. Favorecendo esses hábitos em detrimento da paz de Deus, estaremos satisfazendo os pecados da carne. Sejamos honestos: a luxúria, a preocupação, a autopiedade e a ira nos divertem temporariamente. O resultado final é terrível. Somente quando desejarmos, consciente e inconscientemente, a plenitude do Espírito Santo, mais do que tudo no mundo, é que estaremos dispostos a deixar de lado nossos sentimentos mesquinhos de cobiça, ansiedade, autopiedade e ira.

Confesso que mesmo depois de experimentar há vários anos a plenitude do Espírito Santo, tenho prazer na ira. Sob algumas circunstâncias em que acredito que "meus direitos tenham sido violados" sinto certa satisfação na expectativa de perder a cabeça. O Espírito, porém, me faz lembrar do alto preço que terei de pagar ao dar lugar a tal emoção e, assim, desisto imediatamente. Nenhum sentimento de ira vale a perda dessa abençoada consciência de sua presença. Essa reação se torna, aos poucos, coisa natural, e podemos assim começar a dizer com Paulo: "As coisas que eu amava, agora desprezo".

Um bom exercício espiritual seria preparar uma lista incluindo o tipo de pessoa que você mais gostaria de ser. Essa lista deveria incluir alguns dos seguintes tipos:

1. Cristão como Cristo, que faça a "perfeita vontade de Deus".
2. Cristão frutífero, que ajunta no céu seus tesouros.
3. Companheiro generoso, cheio de amor.
4. Pai (ou mãe) bem-sucedido, cujos filhos seguem a Cristo.
5. Membro ativo da igreja.
6. Empregado ou dona de casa capaz, produtivo.
7. Bom vizinho.

Sua alegria na vida depende principalmente da realização dos alvos espirituais propostos, e não da fama, da fortuna, da alimentação e dos divertimentos, que são objetivos das pessoas mundanas e, aparentemente, de muitos cristãos. Você deve responder a esta pergunta: Quantas prioridades posso cumprir na vida sem o Espírito Santo? A resposta é: Nenhuma! Quando essa verdade tomar realmente conta de sua mente e de seu coração, você estará a caminho de andar no Espírito. Da mesma forma que a mãe é sensível às necessidades de seu bebê adormecido, a ponto de acordar com o mínimo movimento dele, assim o cristão pleno do Espírito reage ao Espírito Santo. Tanto a mãe como o cristão reagem intuitivamente a sua principal prioridade.

2. *Aguce sua sensibilidade em relação ao pecado.* Já vimos que o pecado bloqueia o poder do Espírito Santo em nossa vida. No momento em que tomamos consciência de qualquer pecado

da mente, devemos imediatamente confessá-lo; dessa forma, o tempo decorrido entre o entristecer do Espírito e sua restauração é mínimo. A principal vantagem do estudo dos temperamentos é diagnosticar nossas principais fraquezas. Consequentemente, ficamos vigilantes para com o "pecado que tenazmente nos assedia". Quando este erguer sua face hedionda, confesse-o, esqueça-se dele (Deus esquece, e assim você também deve proceder) e prossiga até ver cumprida a vontade divina em sua vida. Pelo que pude observar entre as pessoas a quem tenho aconselhado, o principal segredo para alcançar a vida vitoriosa é a prática da confissão instantânea.

3. *Leia e estude diariamente a Palavra de Deus.* Estou convicto, depois de muito observar, que é impossível para o cristão "andar no Espírito" a não ser que tenha o hábito de nutrir sua mente e seu coração com a Palavra de Deus com regularidade. Uma das razões por que os cristãos não enfrentam os acontecimentos da vida da mesma forma como Deus o faz é pelo fato de não conhecerem o caminho de Deus por meio de sua Palavra.

Os sentimentos são produzidos por nossos processos mentais, por isso teremos sentimentos mundanos e carnais se nos alimentarmos da "sabedoria do mundo". Uma mente alimentada com a Palavra de Deus possibilita sentir aquilo que o Espírito sente quanto às questões da vida. Lembre-se de que leva algum tempo até que a mente seja reorientada da sabedoria humana para a sabedoria divina. Assim, a leitura diária da Bíblia é essencial.

Às vezes os cristãos refutam, dizendo que isso os tornaria legalistas ou os escravizaria a um hábito mental. Mas não parecem considerar legalista o fato de sentarem-se à mesa três vezes ao dia para comer. Nós o fazemos porque sentimos prazer e necessidade de comer. Da mesma forma, podemos nos alimentar da Palavra de Deus por um sentimento de necessidade, mas é preciso tempo para desenvolver o apetite espiritual. Muitos cristãos sentem que algo não vai bem quando deixam de ler por um só dia a Palavra de Deus, embora tempos atrás não sentissem essa falta. Os bons hábitos mentais exigem autodisciplina para seu desenvolvimento, mas uma vez estabelecidos, tornam-se parte de nós.

Alguns anos atrás, desafiei uma classe da escola dominical a ler diariamente um capítulo de Provérbios. Como são 31 capítulos, sugeri que lessem o que correspondesse ao dia do mês. Um ano mais tarde, um comerciante bem-sucedido comentou: "Quando o senhor deu aquela ideia, eu não estava convencido de que funcionaria, mas tenho feito isso todos os dias deste ano e considero essa a principal razão por eu ser hoje, pela primeira vez, um cristão fiel". Esse homem transformou-se de um simples membro da igreja, que falava esporadicamente de sua fé, em uma testemunha dinâmica e ousada, com sucessos destacados. A alimentação diária na Palavra deu-lhe grande segurança, além da sabedoria de Deus para compartilhar a própria fé com os demais.

Um jovem engenheiro me procurou depois de onze anos de vida cristã e confessou que jamais levara alguém a Cristo. Acrescentou ainda: "Nunca surge uma oportunidade para testemunhar minha fé". Entretanto, depois de participar durante três meses de um programa de leitura e memorização da Bíblia, ele me disse, com um largo sorriso: "Foi tolice pensar que não houve oportunidade para testemunhar, pois o faço constantemente agora. Antes, eu sabia tão pouco a respeito da Bíblia que não tinha nada a dizer, mas agora que convivo com a Palavra, ela se introduz em quase todas as conversas!".

A nutrição constante por meio da Palavra de Deus produz resultados muito interessantes. Considere os seguintes benefícios mencionados nas Escrituras:

Josué 1:8 — Torna próspero o nosso caminho e nos conduz ao sucesso.
Salmos 1:3 — Faz-nos produzir bons frutos em quantidade.
Salmos 119:11 — Protege-nos do pecado.
João 14:21 — Deus se revela mais e mais àqueles que cumprem a sua Palavra.
João 15:3 — A Palavra nos purifica.
João 15:7 — A Palavra produz poder na oração.
João 15:11 — A Palavra dá alegria a nossos corações.
1João 2:13-14 — A Palavra nos dá a vitória sobre o maligno.

Com esses resultados transformadores produzidos pelo fato de enchermos nossa mente com a Palavra de Deus, é uma pena que tantos cristãos vivam uma vida menos eficiente, carregada de sentimentos de insegurança, impureza, descontentamento, aflição e incapacidade. A espécie de sentimentos que temos depende de nossos pensamentos, e o cristão sincero deve se perguntar: "O que está moldando e preenchendo minha mente?". Sua resposta a essa pergunta apontará os sentimentos que o permeiam, cercam e motivam a cada dia.

Uma comparação cuidadosa entre a vida cheia do Espírito descrita em Efésios 5:18-21 e a vida plena em Colossenses 3:15-17 é bastante reveladora. Os dois trechos prometem um cântico no coração, uma atitude de ação de graças e um espírito submisso. A mente repleta da Palavra de Deus e por ela controlada terá tanto efeito sobre nossas emoções quanto a mente cheia do Espírito Santo, controlada pelo Espírito. Concluímos então com toda a certeza que a plenitude do Espírito e o andar no Espírito dependem da plenitude da Palavra de Deus!

Com o passar dos anos tenho desenvolvido hábitos que me permitem renovar a mente e, portanto, os sentimentos em relação a Deus. Esses hábitos são: ler a Bíblia e meditar nela à noite. Quando se lê a Bíblia à noite, o subconsciente trabalha por nós enquanto dormimos, a mente digere os eventos do dia, especialmente as últimas coisas em que pensamos antes de dormir. Por essa razão torna-se extremamente proveitoso ler a Palavra de Deus logo antes de recolher-se e adormecer com o que se leu em mente. É surpreendente o quanto isso me ajuda a acordar enfrentar de modo positivo o dia que se abre a minha frente. Se você pode ler na cama, melhor ainda. Procure habituar-se a estudar a Bíblia ao deitar-se, e o subconsciente amoldará seus sentimentos aos padrões de Deus.

Outro hábito valioso é a meditação. Para mim, meditar é o mesmo que "pensar". A mente está sempre funcionando, e o que determina se ela trabalhará por nós ou contra nós é nossa vontade. A mente tem de trabalhar por meio dos critérios e das verdades da Palavra de Deus se quiser guiar-se para o bem. E aqui surge uma experiência: memorize a fim de poder tirar proveito da meditação, porque não se pode meditar sobre aquilo que não se conhece intimamente. Quer se trate de uma única frase, quer de um conceito ou já de um versículo inteiro da Escritura, é necessário memorizá-lo. Caso contrário, só será possível meditar com o texto diante dos olhos.

Um método simples que uso para inspirar meditação é escrever em um papel à parte, em minha Bíblia ou em um caderno, os versículos especiais que trazem bênçãos sobre mim. Decoro ao menos um desses versículos por semana. Pode parecer trabalhoso, mas a verdade é que a maioria das pessoas usa menos de 10% do potencial do cérebro. O esforço para guardar a Palavra de Deus no coração beneficia a memória também em outros âmbitos. Não conheço cristão algum mentalmente preguiçoso que esteja andando no Espírito. E os que estão cheios do Espírito são as pessoas mais ativas e espertas que conheço.

4. Evite entristecer o Espírito Santo. O próximo passo para andar no Espírito é uma extensão do passo número dois: aguçar a sensibilidade em relação ao pecado. Efésios 4:30-32 deixa claro que todas as formas de hostilidade, incluindo a ira, a amargura e a inimizade, entristecem o Espírito Santo. Todos os crentes com tendência para a ira devem memorizar esses três versículos e desenvolver sua percepção em relação aos sentimentos negativos. Além de fazer uma confissão imediata, devem decidir mostrar-se amorosos e gentis, revelando espírito de mansidão e perdão. Essa graça é absolutamente contrária à natureza do sanguíneo ou do colérico, mas o Espírito Santo desenvolverá no crente nova capacidade para a consideração e o amor.

Esse amor induzido sobrenaturalmente é saudável, tanto no âmbito mental quanto no emocional, servindo também para rejuvenescer-nos espiritualmente. Tive oportunidade de aconselhar dois homens que eram perseguidos de forma maldosa por seus patrões. Um deles foi despedido depois de recusar demitir-se sob pressão. Guiado pelo Espírito, sua reação foi orar junto com a família em favor de seu ex-patrão. Com isso, ganhou a admiração especial da esposa, filhos e amigos e encontrou outro emprego, onde aguarda com alegria que a vontade de Deus se cumpra em sua vida.

O segundo homem sofreu um colapso nervoso e me procurou alguns dias depois de sair de um hospital psiquiátrico. Eu nunca vira tanto ódio. O egoísmo e a brutalidade do antigo empregador ainda o faziam sofrer, e ele não conseguia perdoar o ofensor.

Se ele ao menos reconhecesse o alto preço que lhe custava esse ódio, perdoaria o homem. Por ter ofendido o Espírito há muito tempo, nada sabia a respeito da vida cheia do Espírito e a hostilidade o estava destruindo. Operando sozinha, a mente o enganava: imaginava que sua esposa lhe era infiel e que os filhos não o amavam e, mais recentemente, concluíra que seus pais também não gostavam dele. Todo esse comportamento anormal é consequência do ódio nutrido durante muito tempo.

Os crentes são instados a perdoar uns aos outros, não só para a glória de Deus e para o bem do ofensor como também pela paz de espírito do próprio ofendido. Quando você preza, acima de tudo, a plenitude do Espírito Santo, não permitirá que a ira, a animosidade, ou a falta de perdão entristeçam o Espírito Santo. Você sabe que teria de pagar muito caro por isso!

Há alguns anos, conversei com um casal que se separara por causa da infidelidade do marido. Ele se arrependeu perante Deus e perante a esposa, e ela resolveu aceitá-lo de volta. O lar foi restabelecido em uma base espiritual. Mas, após um mês, a esposa estava de volta a meu escritório, em lágrimas. "Odeio meu marido e não suporto que ele me toque!", disse soluçando. Eu sabia que antes da infidelidade, ela o amara profundamente. Depois de pedir a sabedoria de Deus, perguntei se ela havia perdoado o marido por seu erro. Ela se enrijeceu, e seus olhos cintilaram: "Por que haveria de perdoá-lo? O que ele fez não merece perdão! Como crente, ele sabia que estava agindo errado!". O que ela dizia era, infelizmente, verdade! Então expliquei que nenhum de nós merece perdão, mas Deus manda que perdoemos uns aos outros, assim como ele nos perdoou. Quando ela reconheceu que não queria perdoar o marido, e que isso entristecia o Espírito, começou a orar. Esquecendo o pecado do companheiro, concentrou-se nos próprios pecados de ressentimento, ódio e falta de perdão. Levantou-se dali como uma mulher transformada. Hoje ela é uma cristã radiante, cheia do Espírito, que ama o marido com alegria: maravilhosa recompensa por ter concedido perdão àquele que não merecia ser perdoado!

A importância da vontade torna-se aparente nesse ponto do processo de vincular-se ao Espírito. Diante do golpe da injustiça ou da ira de alguém, somos forçados a odiar o ofensor, ou então a perdoá-lo e orar por ele. Todos os nossos sentimentos, assim como o andar no Espírito, dependem dessa decisão. Não se surpreenda ao falhar repetidas vezes no início. Apenas esteja certo de confessar o pecado tão logo perceba que está entristecendo o Espírito e permita que ele restabeleça seu caminhar. Conforme você se decide a perdoar, deixando que o Espírito Santo reaja com paciência e amor, sua fraqueza de temperamento estará se transformando em força.

5. Evite extinguir o Espírito por medo e preocupação. De acordo com 1Tessalonicenses 5:16-19, extinguimos o Espírito Santo quando duvidamos dele e não permitimos que nos guie pela vida. Quando um crente diz: "Não compreendo por que Deus deixou essa coisa horrível acontecer comigo", apaga o Espírito pelo medo, e não anda nele. O cristão confiante em Deus poderia enfrentar a mesma situação e dizer: "Agradeço a Deus porque ele está controlando minha vida! Não entendo o que está acontecendo comigo neste momento, mas confio em sua promessa de que nunca me deixará e que suprirá todas as minhas necessidades". Tal pessoa continua a andar no Espírito e "sente-se bem", apesar das circunstâncias adversas.

Já vimos que os melancólicos e fleumáticos têm predisposição para o medo, assim como os temperamentos mais extrovertidos têm predisposição para a ira. Alguns possuem uma mescla do temperamento introvertido e extrovertido e dessa forma podem ter problemas graves em razão do medo e da ira. A graça de Deus nos basta para eliminar ambos os problemas por intermédio de seu Espírito Santo. Mas quem possui essas tendências precisa tomar cuidado com a reação que terá quando surgirem situações aparentemente desfavoráveis. Se em seu íntimo você murmura ou se queixa, já extinguiu o Espírito Santo. Isso pode ser remediado de imediato, se estiver disposto a reconhecer seus queixumes induzidos pelo medo, como de fato são — *pecados* — e a pedir que Deus modifique esse hábito, concedendo-lhe a plenitude de seu Espírito.

Com certa frequência encontro pessoas que dizem: "Já tentei isso, mas não tive resultados". É que elas simplesmente tentaram escapar de uma dificuldade indesejável, pela confissão de suas queixas, em vez de aceitar o problema e agradecer a Deus.

Deus não está tão interessado em mudar as circunstâncias, como em transformar as pessoas. Não é vantagem nenhuma viver sem preocupação quando não há nada com que se preocupar. Vitória é encarar um problema que em geral nos causaria grande preocupação sem fraquejar. O fato de ser cristão não isenta ninguém de dificuldades. Disse Jó: "O homem nasce para as dificuldades tão certamente como as faíscas voam para cima" (Jó 5:7). Jesus avisou-nos de que no mundo teríamos aflições, e a Bíblia ainda diz que as provas impostas por Deus servem para nos fortalecer. Muitos cristãos são reprovados nos testes quando procuram eliminar as tribulações em vez de renderem obediência ao Espírito.

É impossível para o cristão inclinado ao medo andar no Espírito sem que seja fortemente inspirado pela Palavra de Deus, a fim de revigorar sua fé. Quanto mais sua mente se encher da Palavra de Deus, tanto mais seus sentimentos se inclinarão para a fé. Mas os ansiosos em geral gostam de apregoar sua triste situação, sobretudo quando Deus observa a cena comovente. Quando tais pessoas oram, muitas vezes se sentem ainda pior. Enquanto oram se lastimando, seus infortúnios ficam mais profundamente gravados na mente e, no final das orações, acham-se em piores condições do que antes. Isso não quer dizer que orar seja um erro, mas o tipo errado de oração é prejudicial. Devemos examinar a Palavra de Deus, a fim de descobrir qual será a oração proveitosa.

Todas as pessoas que vivem constantemente preocupadas devem procurar memorizar o texto de Filipenses 4:6-7: "Não andem ansiosos por coisa alguma, mas em tudo, pela oração e súplicas, e com ação de graças, apresentem seus pedidos a Deus. E a paz de Deus, que excede todo o entendimento, guardará o coração e a mente de vocês em Cristo Jesus". Esses versículos indicam que a oração deve ser acompanhada de ação de graças. Não se pode orar dando graças e continuar depois a carregar os mesmos fardos. Considere as duas orações que seguem, feitas por pais cristãos que tinham uma filhinha doente — e analise as emoções por elas criadas.

> Senhor Deus, viemos a ti por causa de nossa filhinha que está tão perto da morte. O médico diz que não há esperança. Por favor, Jesus querido, cure-a. O Senhor sabe o quanto ela significa para nós. Se essa doença foi causada por pecado em nossa vida, perdoa-nos e purifica-nos para que ela viva. Depois de tantas tragédias em nossa vida, seria difícil suportarmos ainda outra. Em nome de Jesus suplicamos. Amém.

> Querido Pai Celeste, muito obrigado porque somos teus filhos e podemos olhar para ti nessa hora de dificuldade. Tu sabes o que dizem os médicos e prometeste que todas as coisas contribuem para o bem daqueles que te amam. Não compreendemos a razão da doença de nossa filha, mas sabemos que tu nos amas e tens toda a capacidade de curá-la. Entregamos seu corpinho em tuas mãos, ó Pai, pedindo que a cures conforme tua vontade perfeita. Nós a dedicamos a ti antes que nascesse

e te agradecemos porque tu podes suprir todas as suas necessidades, agora mesmo, como também suprirás as nossas. Em nome de Jesus. Amém.

Fica evidente que pais sentirão a "paz de Deus" e os que torcerão as mãos em angústia nessa hora de grande aflição. A diferença está em aprender por meio da Palavra de Deus qual deve ser nossa atitude de gratidão. Para que você não pense que a oração acima é apenas uma hipótese, quero partilhar com você uma experiência pessoal: temos uma linda bonequinha loira de olhos azuis chamada Lori, enviada por Deus. Ela é a menina de meus olhos. Há cinco anos, quando estive ao lado de seu leito de dor no Hospital Infantil, fiz essa oração. Francamente, não sei como as pessoas sem Cristo conseguem passar por tais provações. Eu e minha esposa podemos testemunhar que, apesar da febre elevada e do delírio de Lori, e sem que nos fossem dadas esperanças palpáveis de salvá-la, Deus nos concedeu paz em meio a tanta angústia. Mas foi só quando oramos em ação de graças ao lado de sua tenda de oxigênio que recebemos essa paz.

Se sua inclinação é preocupar-se ou queixar-se, descobrirá que não é uma pessoa muito agradecida. Talvez você seja excelente pessoa em outros aspectos, mas, a não ser que aprenda a ser grato, andará distante do Espírito e sua felicidade não perdurará. O segredo que nos leva a uma atitude de ação de graças é conhecer intimamente a Deus como ele se revela na Palavra. Isso requer leitura bíblica, estudo e meditação. Quando sua fé for firmada pela Palavra, será mais fácil dar graças, mas ainda assim se trata de um ato da vontade. Se você não aceitou viver sob a total orientação de Deus, será inevitável se queixar, porque duvidará que as coisas possam correr bem. A dúvida apaga o Espírito e desvia-nos do verdadeiro crescimento.

Há alguns meses experimentei um trauma emocional devastador, o maior desde que meu pai morreu. Durante três anos eu vinha trabalhando em um projeto extremamente necessário para nossa igreja — uma nova propriedade. Depois de muita oração e muito trabalho, resolvemos confiar em Deus, esperando que ele fizesse o impossível. Compramos 43 acres de terra próximo de duas estradas de rodagem, ao custo aproximado de meio milhão de dólares. Considerávamos que fosse a localização mais estratégica na cidade para uma igreja em pleno desenvolvimento. Eu tinha comido, dormido, orado e vivido esse projeto durante aqueles três anos. Na verdade, este livro teria sido publicado um ano mais cedo se o planejamento não houvesse tomado tanto tempo. De alguma forma os políticos locais se envolveram no assunto e alguns dos líderes da cidade começaram a se opor à mudança de zoneamento necessária para que construíssemos naquela propriedade. Durante dois anos estivemos em luta constante com a Prefeitura. Gastamos milhares de dólares de honorários pagos a advogados e engenheiros e a mesma quantidade em homens-hora. Durante todo esse tempo, mantive a certeza de que as plantas seriam aprovadas e nós construiríamos um lindo templo para a glória de Deus. Finalmente aconteceu, em 7 de outubro de 1969, depois de horas de deliberações, que o Conselho da cidade votou por seis a dois *contra nós*. Fiquei tão estupefato que mal pude me levantar da cadeira e só com muito esforço fui conseguindo, enfim, sair com a maior discrição possível.

Quando me afastei finalmente de todos, fui sozinho de carro até o terreno. Não tive coragem de chegar até lá, onde eu e minha esposa tínhamos tantas vezes nos ajoelhado e orado, tomando posse daquela propriedade para Deus. Andei até um ponto em que pude ter uma boa visão do local, sentei-me na terra e comecei a pensar. Vocês podem imaginar a natureza de meus primeiros pensamentos? Confesso que não eram muito agradáveis: "Por que Senhor? Por que deixou que isso acontecesse? Será que eu fiz algo de errado? Orei a respeito deste lugar, andei nele e tomei posse dele, assim como os outros fizeram. Por que aconteceu isso? A fé foi eficiente para Abraão, para alguns de meus colegas de ministério, por que não funcionou no meu caso? Por que o Senhor deixou que um político egoísta, que não queria uma igreja vizinha de sua casa, colocasse em situação tão humilhante seu nome e o de nossa igreja?".

Eu tinha muitas perguntas a fazer e, quanto mais me queixava, pior me sentia. Naquela mesma hora, meu adversário político chegou em casa. Do meu posto de observação, cheio de autopiedade, eu observava a cena e pude ver aquele homem descer de seu Lincoln Continental e presentear minha esposa com um ramalhete de flores, celebrando sua vitória. Adivinhem como eu me senti! Totalmente arrasado! Fui tentado até mesmo a pedir que Deus derrubasse aquelas flores das mãos dele com um raio. Mas o Senhor esmagou aquela tentação.

Durante dois dias passei pela pior crise de depressão que já experimentei. Finalmente percebi que eu estava apagando o Espírito Santo e andando em um estado muito carnal. Então pensei: "Aí está você — autor de um livro com um capítulo inteiro sobre 'como curar a depressão', um pregador que desafia os cristãos a não se deixarem vencer pela depressão — deprimido. Por que não pratica o que prega?". Depois de confessar meus pecados de autopiedade, dúvida, queixumes e murmurações, comecei a agradecer a Deus. Agradeci por seu poder e sua orientação e reconheci que, embora eu não soubesse o que ele faria, o problema realmente não era meu, mas dele, Deus.

Algo realmente maravilhoso aconteceu naquele dia. A depressão sumiu, meu ânimo começou a reerguer-se e uma paz inundou meu coração. Durante meses a fio, embora estivesse ativamente procurando um novo local e batendo em cada porta que parecesse oferecer alguma oportunidade, ainda não tinha nenhuma ideia sobre qual seria o plano de Deus para nossa igreja, desde o dia 7 de outubro. Mas o surpreendente é que não me senti nem um pouco desanimado. Nosso povo reagiu com tal expressão de fé que estávamos convencidos de que Deus tinha algo melhor em vista para nós do que aquilo que tínhamos planejado antes. Só Deus pode produzir alegria e paz diante do caos aparente. Porém, os sentimentos bons não surgiram até que o servo começasse a agradecer a Deus, por meio da fé. Há uma terapia misteriosa na ação de graças; o louvor invoca a ministração emocional do Espírito Santo. Sua paz permanece, apesar do problema ainda não ter sido resolvido.

Essa lição valiosa nos mostra que há duas espécies de agradecimento. O primeiro tipo de gratidão é natural e fácil, quando andamos pelo que vemos: sabemos aonde vamos e as perspectivas são agradáveis. O segundo é sobrenatural e exige fé: não conseguimos ver o que Deus está fazendo, nem porque ele age dessa forma, mas somos gratos por sua orientação e porque não vai desamparar-nos. Essa espécie de ação de graças vem com o andar no Espírito.

Veja as palavras do seguinte hino:

> Conta as bênçãos, conta quantas são
> recebidas da divina mão
> Uma a uma, dize-as de uma vez
> hás de ver, surpreso, quanto Deus já fez.[2]

[2] Hino nº 329, *Cantor Cristão,* Rio de Janeiro: JUERP/Imprensa Bíblica Brasileira.

Muitos cristãos não têm consciência de quanto Deus fez por eles, porque não começaram ainda a contar suas bênçãos. Você tem contado as suas ultimamente? Essas riquezas aumentam quando são reconhecidas.

Uma última sugestão prática para andar no Espírito será útil nesse ponto. Embora a atitude mental seja importante todo o tempo, ela é fundamental duas vezes por dia: quando nos deitamos e nos levantamos. É muito importante orar "com gratidão" e "em tudo dar graças", assim como ler as Escrituras à noite. E, embora possa ser difícil, é estratégico que o primeiro ato do dia seja dar graças.

Um neurocirurgião de Atlanta afirma: "O período mais importante do dia são os primeiros trinta minutos após o despertar. O que se pensa durante esse tempo estabelece o padrão emocional para o resto do dia". Isso se aplica particularmente aos "madrugadores", pessoas que ficam sonolentas à noite, mas se levantam refeitas e bem despertas pela manhã. Os notívagos, pelo contrário, geralmente não se sentem bem dispostos no início do dia. De qualquer forma, as palavras desse médico mostram a importância da oração de agradecimento para iniciar o dia. O salmista nos ajuda: "Este é o dia em que o SENHOR agiu; alegremo-nos e exultemos neste dia" (Sl 118:24).

Depois de iniciar seu dia com louvor, entregue-se novamente a Deus conforme diz Romanos 6:11-13. Diga-lhe que está disposto a partilhar sua fé com os necessitados que ele lhe enviar. Entregue seus lábios ao Espírito Santo e deixe que ele inicie a conversa. Ande no Espírito e você produzirá frutos para Deus. No momento em que sentir que entristeceu ou apagou o Espírito, confesse o pecado, e mais uma vez peça sua plenitude. Ao seguir esses passos, seu temperamento será realmente transformado!

Anotações

Anotações

Anotações

Anotações

Anotações

Anotações

Compartilhe suas impressões de leitura escrevendo para:
opiniao-do-leitor@mundocristao.com.br
Acesse nosso *site*: www.mundocristao.com.br

Capa: Douglas Lucas
Preparação: Joana Faro
Revisão: Gustavo Nagel e Roseli Said
Diagramação: SGuerra Design
Fonte: Adobe Caslon
Gráfica: Imprensa da fé
Papel: Pólen Natural 70 g/m^2 (miolo)
Cartão 250 g/m^2 (capa)